उपन्यास शिल्पी गिरिराज किशोर

वाणी प्रकाशन

नयी दिल्ली-110002

उपन्यास शिल्पी गिरिराज किशोर

संपादक

डॉ. ए. अरविंदाक्षन

वाणी प्रकाशन
21-ए, दरियागंज, नयी दिल्ली-110002
द्वारा प्रकाशित

प्रथम संस्करण : 2000

मूल्य : 95.00 रुपये

दुर्गा इंटरप्राइज़िज, नयी दिल्ली-110002
द्वारा लेज़र कम्पोज़

शुभम ऑफसेट, दिल्ली-110032
द्वारा मुद्रित

UPANYAS SHILPI GIRIRAJ KISHOR
Edited by Dr. Arvindakshan

अनुक्रम

उपन्यास शिल्पी गिरिराज किशोर (भूमिका)
डॉ. अरविंदाक्षन

समयबोध का सही साक्षात्कार 11
डॉ. अरविंदाक्षन

सत्ता से जुड़ने की त्रासदी : जुगलबंदी 18
डॉ. मोहन

चरमराता सामंती ढाँचा और डूबते हुए 'लोग' 25
शांती नायर

'परिशिष्ट' : असम्मान की यातना से गुजरती जिंदगी 32
डॉ. डी. दस्तगिरि

मानवीय संकट का बिंब 45
शांती नायर

साम्राज्यवादी राजनीति का वर्चस्व 55
डॉ. अरविंदाक्षन

प्रौद्योगिकी की गतिहीनता के सवाल 66
डॉ. विजयकुमार

यांत्रिकी संस्कृति बनाम मानवीय अस्तित्व का संकट 73
शांती नायर

नारी मुक्ति का प्रामाणिक स्वर—'तीसरी सत्ता' 80
डॉ. रवि

'दो' : नारी के अभिशाप की कथा 86
डॉ. सुधा

आम आदमी की दुनिया का 'चिड़ियाघर' 91
डॉ. सुजा चंद्रिका

'दावेदार'—अर्थवान यात्राओं की अर्थहीनताएँ 98
डॉ. अरविंदाक्षन

उपन्यास शिल्पी गिरिराज किशोर

उत्तर शती के हिंदी उपन्यास के क्षेत्र में गिरिराज किशोर ने अपना महत्त्वपूर्ण स्थान बना लिया है। समय के वृहत्तर परिदृश्य को समेटने की क्षमता होने के कारण उनके उपन्यास पाठकीय चेतना को निरंतर उत्तेजित करते रहे हैं। उत्तर शती का समय अत्यधिक जटिल एवं अपरिभाषेय ही रहा है। साहित्यकार के सामने समय की भयावहता की चेतावनी हमेशा बनी रही। गंभीर प्रकृति के रचनाकारों के सामने यह समस्या दुहरी थी। सरलीकरण के विषम वृत्त से अपने को बचाना और समय के दबाव को सही अंदाज में महसूस करना। उपन्यास लेखन में प्रायः सरलीकरण के खतरे रहते ही हैं क्योंकि उपन्यास को अब भी मनोरंजन का साधन मानने की प्रथा बरकरार है। इलेक्ट्रोनिकी मीडिया ने इस विश्वास को दृढ़ कर दिया है। अतः गंभीर लेखन में अगंभीर प्रवृत्तियों का समावेश किसी न किसी प्रकार होता ही रहता है। अगंभीर लेखन में समय समा नहीं सकता। समय के सरलीकृत रूप अपने ढंग से अवतरित होते हैं। गिरिराज किशोर ने गंभीर लेखन का पल्ला कभी नहीं छोड़ा। इसलिए उनकी उपन्यास-यात्रा में नैतिक सवालों के व्यापक संदर्भ विवृत होते ही रहते हैं।

सामाजिक अवस्था की ऐसी कई स्थितियाँ हैं जो हमें अप्रीतिकर मालूम पड़ती हैं। उन्हीं के रहते हम इक्कीसवीं शती का ढिंढोरा पीटते हैं। मनुष्य ने मनुष्य के विरुद्ध का आचरण बहुत ही सहज बना लिया है। संस्कृति की इस नपुंसकता के रहते हुए भी हम

सभ्यता की शिखरता की चर्चा में मग्न हैं। यही हमारे जीवन का विरोधाभास है। विषयवस्तु के स्तर पर ही नहीं बल्कि लेखकीय दायित्व के रूप में गिरिराज किशोर ने हमारे इस टुच्चेपन पर केंद्रित दो उपन्यास लिखे हैं। उन स्थितियों के प्रति पाठकीय चेतना को अभिभूत कराना गिरिराज किशोर का उद्देश्य नहीं। उपन्यासकार ने उन स्थितियों में निहित अमानवीयता और तत्संबंधी भयावहता को दिखाने का कार्य किया है। 'परिशिष्ट' और 'यथा प्रस्तावित' हिंदी के इने-गिने उपन्यासों में इसलिए आते हैं कि उन्होंने हमारी अपनी अर्थहीनताओं पर ही अंकुश लगाया है।

'अंतर्ध्वंस' और 'असलाह' जैसे उपन्यास भी गिरिराज किशोर ने लिखे हैं। हम विज्ञान के जिस भोथरेपन को झेलते आगे बढ़ रहे हैं उसी को उन्होंने विषय बनाया है। 'चिड़ियाघर' और 'दो' जैसे उपन्यास भी लिखे जिनमें नारी की अस्मिता के व्यापक संदर्भ को अनावृत करने का कार्य किया है। उनका कथा परिदृश्य विपुल है। पर उपरोक्त उपन्यासों के आकार लघु हैं। आकारगत सीमा का उल्लंघन प्रखर औपन्यासिक दृष्टि से करने का कार्य गिरिराज किशोर ने किया है। पर आकार को विपुल करते हुए, 'जुगलबंदी' और 'ढाई घर' जैसे उपन्यास भी उन्होंने लिखे। ये दोनों उपन्यास हमारे इतिहास की समांतर कथाएँ हैं। राजनीतिक एवं सामाजिक इतिहास का समन्वय भी उन्होंने किया है। सांस्कृतिक पतन का इतिहास ही संभवतः ये रच रहे हैं। पतनोन्मुख संस्कृति की शिलाएँ क्या हमारी नींव बन सकती हैं? हमारे जीवन के अंतर्विरोधों के ये सवाल उनके उपन्यासों से उठते ही रहते हैं। प्रायः वे आज भी अनुत्तरित हैं।

गिरिराज किशोर को कथाशिल्पी कहना इसलिए सही है कि उनके पास कथा कहने की, रचने की अदम्य शक्ति है। कथा की वाचिक परंपरा के आधुनिक सिरे पर खड़े होकर वे अपनी आधिकारिक कथाओं के साथ बहुविध प्रासंगिक कथाएँ भी सुनाते जाते हैं। शिल्पी की मोहक संरचना के साथ सृजन की सूक्ष्मताओं में तराशने की

प्रवृत्ति भी उनकी है। अतः वे निरे कथाकार नहीं हैं अपितु कथाशिल्पी हैं।

ऐसे एक कथाशिल्पी के उपन्यासों के प्रति मोह हो जाना स्वाभाविक था। यह पुस्तक उसी मोह का परिणाम है। इसमें उनके प्रत्येक उपन्यास पर एक-एक लेख है। ये निरे आलेख नहीं हैं। ये उनकी रचना-यात्रा को पहचानने के सत्प्रयास हैं। इसमें सहभागी बने मित्रों ने अपनी रचनात्मकता का परिचय दिया है। सभी सहभागी मित्रों के प्रति मैं आभारी हूँ कि उनके प्रयास से यह पुस्तक आकार ग्रहण कर सकी। मेरी सुयोग्य छात्रा शांती नायर के अथक परिश्रम का भी इसमें महत्त्वपूर्ण योग रहा है। ग्रंथ-संपादन के अथ से इति तक उसकी विशिष्ट भूमिका रही है। उसका स्नेह भी मेरे लिए प्रेरणा दायक रहा और उसने इस कार्य को गतिशील बनाए रखा।

गिरिराज किशोर के प्रति भी मैं आभार व्यक्त करना चाहूँगा क्योंकि समय-समय पर उनके साथ हुई चर्चाओं ने इस ग्रंथ-संपादन के मार्ग को प्रशस्त किया है।

सुधी पाठकों के सम्मुख विनयपूर्वक इस ग्रंथ को प्रस्तुत कर रहा हूँ।

डॉ. अरविंदाक्षन

समयबोध का सही साक्षात्कार

•

डॉ. अरविंदाक्षन

गिरिराज किशोर समकालीन हिंदी साहित्य के महत्त्वपूर्ण रचनाकार हैं। अपनी रचनाओं से, खासकर उपन्यासों के माध्यम से, उन्होंने यह सिद्ध किया है कि प्रत्येक रचना को समर्थ और सूक्ष्म बनानेवाली ऊर्जा उसकी समय सापेक्षता है। कथा चाहे जिस किसी की हो, जहाँ की भी हो समयबोध का साक्षात्कार उसकी वास्तविक शक्ति है। समयबोध की पहचान के अंतर्गत काल का एकायामी प्रतिफलन मात्र नहीं है बल्कि इतिहास का बहुआयामी प्रतिफलन संभव होता है। इस तरह एक रचनाकार अपने सृजनात्मक साहस का परिचय भी देता है तथा उस विधा को एक नया मोड़ भी प्रदान करता है।

'ढाई घर' गिरिराज किशोर की नव्यतम औपन्यासिक कृति है। इस उपन्यास का फलक काफी विस्तृत है। इसके पहले 'लोग', 'जुगलबंदी' और 'परिशिष्ट' जैसे उपन्यासों में भी गिरिराज का कैनवास व्यापक ही रहा है। जहाँ तक 'ढाई घर' का संबंध है वह उनके 'जुगलबंदी' का, एक प्रकार से, रचनात्मक विकास है। गिरिराज किशोर के लिए यह एक रचनात्मक चुनौती बराबर रही है कि प्रत्येक उपन्यास के लिख चुकने के बाद उसके आगे क्या है? 'ढाई घर' के संबंध में लिखते हुए गिरिराज किशोर ने इस ओर संकेत किया है—"जब मेरे सामने बिशन भाई का यह प्रस्ताव आया कि

मैं 'जुगलबंदी' जैसा ही उपन्यास लिखूँ, तो ऐसा नहीं कि मैं यह न समझा हूँ कि इस वाक्य में व्यंजना क्या है लेकिन न जाने कैसे यह वाक्य ज्यूँ का त्यूँ मेरे दिमाग में उतर गया। मेरे अंतर्मन में यह प्रश्न उठ खड़ा हुआ—क्या वास्तव में 'जुगलबंदी' में सब कुछ कहा जा चुका, उसके अलावा कुछ नहीं कहना। लगभग ऐसा ही प्रश्न तब भी उठा था जब 'लोग' लिख लेने के बाद 'जुगलबंदी' लिखने की बात दिमाग में आई थी।" स्पष्ट है कि यह एक रचनाकार के रूप में अपने को टटोलने का उपक्रम है। यह रचनाकार के समयबोध का सही एहसास है। प्रत्येक रचना के भीतरी सृजन-परिदृश्य में काल के तमाम आयामों को पाने की अनियंत्रित जिज्ञासा गिरिराज किशोर के इस वक्तव्य में ध्वनित है। हो सकता है कि सभी आयाम उसमें संकेतित न हों। पर इतना अवश्य है कि इस इच्छा में या इस स्पष्टीकरण में समय को साथ लेकर चलने की स्थिति सूचित है। दरअसल 'ढाई घर' एक व्यापक समय की कथा है। समय की असंख्य संक्रमणशील स्थितियों की कथा है। इस अर्थ में यह उपन्यास हमारे समय की गाथा है।

'ढाई घर' एक जमींदार परिवार की कथा है। धीरे-धीरे उस परिवार के उजड़ने की भी कथा है। उस परिवार के केंद्र में हरीराय है। हरीराय के राय परिवार में जितने लोग हैं उनकी अपनी व्यथाएँ हैं, उनकी टूटती-सिमटती आकांक्षाएँ हैं, हरीराय की शान और शौकत है और उनका आभिजात्य भी है। ऊपर से यह उपन्यास सरल-सी लगनेवाली परिवार-कथा का एहसास देता है। स्वयं गिरिराज किशोर ने ऐसा एक संकेत भी दिया है : "मुझे समाज और मनुष्य, मनुष्य और मनुष्य तथा व्यक्ति और प्रतिष्ठान के बदलते रिश्ते हमेशा से आकर्षित करते रहे हैं। कहानी हो या नाटक या लेख, मैं इन बदलते रिश्तों को निरंतर सामने लाने की कोशिश करता रहा हूँ। मेरी इच्छा उन बदलते रिश्तों के गायक बने रहने की रही है।" इस स्पष्टीकरण को सामान्य अर्थ में अपनाएँ तो राय परिवार की तीन पीढ़ियों की कहानी को आत्मसात् करनेवाले उपन्यास

का रचना-परिदृश्य सीमित-सा लग सकता है। यही नहीं कि गिरिराज किशोर ने प्रस्तुत उपन्यास को किस्सागोई ढंग से लिखा है। भास्कर राय, हरीराय का बड़ा बेटा, अपने पिता से लेकर अपने पुत्र तक, रघुवर तक, की कथा को प्रस्तुत कर रहा है। इसमें हरीराय का विराट व्यक्तित्व है जो जमींदारी आभिजात्य से भरपूर है। इसके दो भाइयों की, कृष्ण राय और राघव राय की कथा भी है। वे दोनों जमींदारी अभिजात स्थिति को तोड़ने का कार्य तो करते हैं पर वस्तुतः वे दोनों हरीराय से बढ़कर जमींदारी अमानवीयता के शिकार हैं। इसलिए हरीराय के अभिजात ढंग को हम कभी-कभी अपना तो सकेंगे क्योंकि उनके व्यक्तित्व में मानवीयता का स्पंदन भी मिलता है।

प्रस्तुत उपन्यास जमींदारी प्रथा के उत्कर्ष और पतन की कथा होने के कारण युग की सच्चाइयों को साथ लेकर चलता है। जमींदारी की तमाम विकृतियों में सबसे ज्यादा प्रक्षेपित अंश सत्ता के साथ उसका गठबंधन है। कथा की मुख्य गति को मोड़ देनेवाला अंश भी यही है। उपन्यास में हरीराय और ब्रिटिश सरकार के लोगों के साथ जो घनिष्ठ संबंध है उसको उपन्यासकार ने विस्तार से प्रस्तुत किया है। उसके अंतर्गत हरीराय के मजिस्ट्रेट होने की बात से लेकर जिले के प्रतिष्ठित अफसरों के साथ उनके घनिष्ठ संबंध भी शामिल हैं। हरीराय का अफसरशाही के साथ के संबंध को जमींदारी प्रभुत्व का हिस्सा मात्र समझना ठीक नहीं होगा। वे उनके साथ उठने-बैठने वाले हैं, उनकी क्लब के सक्रिय सदस्य हैं। ब्रिज के खेल में उनके सहयोगी हैं। जमींदारी और अफसरशाही के गठबंधन में निहित वास्तविक पूँजीवादी संस्कृति का चित्र इस उपन्यास में इतना स्पष्ट है कि उसे मुख्य कथातंतु मानें तो गलत नहीं होगा। भास्कर राय जब छोटा था तो उसने अपने सहपाठी ब्राह्मण लड़के को कत्ल करने का प्रयास किया। लेकिन यह घटना मिस्टर वुड, मिसेज़ वुड और मिस्टर डिक के हाथों इतनी सामान्य हो जाती है कि राय परिवार अपनी इज्जत का हकदार बन जाता है।

लेकिन इसी गठबंधन का एक दूसरा पक्ष भी है। ब्रिटिश सल्तनत के लोग तभी लगातार जमींदारों का पक्ष लेते हैं जब मामला जमींदारों और यहाँ के लोगों के बीच में हो। इससे जमींदारी प्रथा बरकरार रहती है और सत्ता के प्रति लोगों का डर भी बना रहता है। पर यही सत्ता उस जमींदारी को उड़ा देने को तैयार रहती है, चाहे जमींदारी की बुरी नजर सत्ता पर अनजाने ही पड़ी हो। उपन्यास में एक प्रसंग है जिसका उल्लेख करना बहुत ही जरूरी है। वह इस प्रकार है कि राय साहब की गिग कलेक्टर की मेम की गाड़ी से भिड़ी और गाड़ी उलट गई। भास्कर राय (हरीराय का बेटा) गिग चला रहा था। घोड़ा बिगड़ गया था। मेम साहब को चोट आई। घटना इतनी ही थी। लेकिन एक लंबे अरसे के बाद राय के अस्तबल से उसी घोड़े की चोरी हो गई और उसे मार दिया गया। राय परिवार सिर्फ देखता रह गया। उस वक्त न हरीराय कुछ कर सकता था न उनके परिवार के अन्य सदस्य। इन दो घटनाओं की तुलना करेंगे तो हमें जमींदारी और सत्ता की अफसरशाही के बीच के गठबंधन के सतहीपन का पता चल ही जाएगा। उपन्यास में ऐसी घटनाओं की भरमार तो नहीं है। लेकिन गिरिराज किशोर ने राय परिवार की कथा को विस्तार से प्रस्तुत करने के बीच-बीच में एकाध घटना का ही उल्लेख किया है। इसका कारण यह है कि गिरिराज किशोर की मूल दृष्टि पूँजीवादी संस्कृति की अंतरंगता के उद्‌घाटन पर केंद्रित रही है।

राय परिवार की स्थिति अब बिखरने लगी है। मँझले राय की पत्नी की मृत्यु और मँझले राय का राय परिवार से अलग होना एक प्रमुख घटना है। जब मँझले राय बड़े राय की इच्छा के विरुद्ध दूसरी शादी कर लेता है तो वह संबंध और टूट जाता है। तीसरी बार जब वह एक अनाथ बच्चे को गोद लेता है तो मँझले राय का नया परिवार एक दूसरी हवेली में बस जाता है। यह उस बड़े परिवार की पहली टूटन है। भास्कर राय की शादी तथा उसकी पहली और दूसरी बीवियों की मृत्यु एवं तीसरी शादी

की कथा उपन्यास की एक अन्य प्रमुख घटना है। परंतु यह एक सामान्य घटना नहीं है। राय परिवार की दूसरी पीढ़ी के असंतुलन की यह घटना है। तीसरी प्रमुख घटना छोटे राय के जीवन से संबंधित है। स्वतंत्रता आंदोलन के प्रति झुकाव के होते हुए भी, गाँधीजी से एक बार मिल लेने के बावजूद, छोटे राय बड़े राय को सहारा देने के लिए जमींदारी में ही चिपका रहता है। अपनी पत्नी की मृत्यु के पहले ही बड़े राय के छोटे लड़के अरुण को गोद लेता है। विलायत से पढ़-लिखकर, इंजीनियर बनकर लौटनेवाला अरुण अपने पिताजी और भाई (हरीराय और भास्कर राय) से अलग होता है और छोटे राय भी बिना किसी प्रतिक्रिया के साथ अपने गोद लिये बेटे के संग अलग होता है। एक परिवार की टूटन पूरी हो जाती है।

रईसों की कथा 'ढाई घर' की आधारशिला है। गिरिराज किशोर का उद्देश्य रईसों के रईसी अंदाज़ को प्रस्तुत करना भर नहीं है। वस्तुतः उन्होंने रईसों के जीवन का सूक्ष्म चित्रण किया है, उसमें हरीराय का अभिजात व्यवहार है। उस पात्र के सच के प्रति निष्ठा है। स्नेही व्यक्तियों के लिए आत्मसमर्पण की भावना है। दूसरी तरफ मँझले राय का अमानवीय रुख है, लगान वसूली के नाम पर किए जानेवाले पाशवीय व्यवहार हैं। रईसी जीवन के इन पहलुओं को चित्रित करने के लिए गिरिराज किशोर ने किस्सागोई का सहारा लिया है। उपन्यास का पात्र भास्कर राय निस्संग निरीक्षक बनकर तमाम बातों का ब्योरा दे रहा है। उसमें इतने उतार-चढ़ाव हैं कि राय परिवार की कथा के समांतर घटित होनेवाली घटनाओं की ओर भी हम ध्यान देने लगते हैं।

पहले भी संकेतित किया जा चुका है कि 'ढाई घर' का आरंभ जमींदारी प्रथा के उत्कर्ष के साथ है और उसका अंत भी जमींदारी के पतन के साथ है। इसी के साथ ब्रिटिश सत्ता के विस्तार की कथा अगर प्रारंभ में है तो उसके अंत का संकेत उपन्यास के अंत में प्राप्त है। स्वतंत्रता आंदोलन की सूचनाएँ बीच-बीच में हैं। स्वतंत्रता

प्राप्ति के बाद की स्थितियों के विस्तार में जाने का कार्य उपन्यासकार ने किया नहीं है। कुल मिलाकर भारतीय समाज की महत्त्वपूर्ण संक्रमणशील स्थितियों के संदर्भ में उपन्यास को प्रस्तुत किया गया है। इसी से यह तथ्य स्पष्ट होता है कि उपन्यासकार का लक्ष्य एक अभिजात परिवार की कथा कहना भर नहीं है।

वस्तुतः 'ढाई घर' भारतीय सामाजिक अवस्था का प्रामाणिक दस्तावेज है। अगर उपन्यास के केंद्र में हरीराय है तो उसका वास्तविक संदर्भ हमारी सामंतीय संस्कृति से जुड़ा हुआ है। उस संस्कृति का अभिजात संस्कार मोहक और आकर्षक होते हुए भी वह भीतर से खोखला है। उस खोखलेपन को पाटने में यह संस्कृति कतई समर्थ नहीं होती है। खोखलापन उसकी नियति इसलिए है कि वह यथार्थ को कभी अपनाती ही नहीं है। हरीराय की कथा इसी खोखलेपन की कथा है। इसलिए यह उपन्यास एक व्यक्ति का नहीं सामाजिक अवस्था का दस्तावेज बन जाता है। गिरिराज किशोर ने इस सामाजिक सच्चाई को अपने उपन्यास में प्रमुखता दी है। उपन्यास की प्रत्येक घटना का एक सामाजिक प्रतीकार्थ है। मँझले राय अपनी शारीरिक कमी का आरोप पत्नी पर करता है। उसकी पत्नी मरते समय पति के अहं को तोड़कर चली जाती है। वह उस वक्त गर्भवती थी। इस घटना के बाद भी वह अपने अहं तक सीमित हो रहता है। यही उस संस्कृति का वह खोखलापन है जिसने हमारे समाज को निरंतर अर्थहीन बना दिया है। अपने यथार्थ के प्रति आँख मूँदने के कारण अकसर इस संस्कृति का झुकाव अधिकार के प्रति रहा है। हरीराय के अंग्रेज अफसरों के साथ के संबंध को इसी दृष्टि से देखा जाना चाहिए।

अधिकार में जो प्रभुत्व है, दूसरों को शोषित रखने की जो साजिश है, सच कहा जाय तो यही इस संस्कृति की निजता है। राय परिवार के पतन की सूचना देकर उपन्यासकार ने इस सामाजिक अवस्था के भंग होने का सुसमाचार तो दिया नहीं है। स्वतंत्रता प्राप्ति के बाद विकसित नई अफसरशाही और उसके साथ जुड़े

हुए अधिकार केंद्रों की सूचना ही उपन्यासकार ने दी है। अरुण राय का विकास, राघवराय का चुपके से उसके साथ खिसक जाना, नए ढंग से उभरे धनी समाज के साथ अरुण की शादी आदि नए माहौल के नए रईसी अंदाज के उदाहरण मात्र हैं। पूँजीवादी सभ्यता की जड़ों ने हमारी मिट्टी को अपने कब्जे में कर लिया है। इसलिए सामंतीय स्थितियों के नए-नए रूप निरंतर उभरते रहते हैं। त्रासदी इस बात की है कि प्रत्येक युग में हमारे समाज में प्रत्येक सामंतीय स्थिति के लिए अपने-अपने तर्क भी रहे हैं। अर्थात् हमारे समाज ने जीवन यथार्थ को बहुत कम मात्रा में स्वीकारा है।

उपन्यासकार गिरिराज किशोर की सफलता इस बात में है कि उनका आख्यान आम कथारीति का एक सशक्त स्वरूप है जिसके अंतर्गत पात्रों व स्थितियों को वांछित ढंग से विकसित करने तथा जरूरी संकेतों से युक्त करके प्रस्तुत करने की तमाम संभावनाएँ हैं। 'ढाई घर' में राय परिवार की कथा का एक व्यापक फलक है। साथ ही साथ समय का एक विराट फलक भी है। गिरिराज किशोर का मुख्य लक्ष्य उस समय-फलक को उतारने का रहा है। असंख्य वास्तविकताओं की आड़ी-तिराछी रेखाओं को एक साथ देखने की उनकी क्षमता सचमुच सराहनीय है। राय परिवार की कथा के सामान्य यथार्थ के भीतर समय सापेक्षता की संश्लिष्ट स्थिति का विलयन अपने आप में रचनात्मकता का उदाहरण है।

खास किस्म का अधूरापन हमारी सामाजिक अवस्था का एक बहुत बड़ा सच है। इस अधूरेपन से मुक्त होने का कार्य कभी भी हमारे समाज में सफल नहीं हुआ। इसके कई कारण हो सकते हैं। पर हम उसे ढोते फिरे। समय के, समाज के, युग के, जीवन की तमाम स्थितियों के इस अंतर्विरोध को गिरिराज किशोर ने भाँप लिया और सही मायने में प्रस्तुत भी किया है।

सत्ता से जुड़ने की त्रासदी : जुगलबंदी

•

डॉ. मोहन

समकालीन हिंदी उपन्यास को गिरिराज किशोर ने सृजनात्मकता की नई ऊष्मा से जीवंतता प्रदान की है। युग यथार्थ के अंतरंग को अनावृत करने की उनकी क्षमता रचना को नए आयाम प्रदान करती है। 1973 में प्रकाशित 'जुगलबंदी' भारतीय स्वतंत्रता आंदोलन की तह में निहित अंतरंग सत्य को तलाशनेवाली रचना है। इसमें दूसरे विश्व-युद्ध से लेकर भारत की स्वतंत्रता प्राप्ति तक के ऐतिहासिक माहौल को रचनात्मक क्षेत्र बना दिया गया है। यह उपन्यास प्रमुखतः भारतीय सामाजिक जीवन की कुछ मार्मिक त्रासदियों की तरफ भी इशारा करता है। सत्ता या पूँजीवादी व्यवस्था से जुड़े रहनेवाले सामंतों की त्रासदी तथा कांग्रेस के भीतर की त्रासदी इनमें प्रमुख हैं। दोनों तथ्य संपूर्ण उपन्यास में फैले हुए हैं। उस त्रासदी को जमींदार शिवचरण के माध्यम से उभारा गया है।

शिवचरण सिंह जमींदार है। बहुत बड़ा परिवार, नौकर-चाकर और बहुत सारे गाँवों से समृद्ध ज़मींदारी। शिवचरण अंग्रेजों के प्रिय मित्र हैं अतः समाज में उनका बहुत सम्मान भी है। अंग्रेजों और देशी सामंतों के बीच का गठबंधन बहुत पुराना है। दोनों का मकसद जनसाधारण को लूटना और अपने ऐशो-आराम भरे जीवन का बोझ उनके ऊपर थोपना है। पर अजीब बात यह है कि अंग्रेजों के लिए सामंत सिर्फ जनशोषण के उपकरण ही हैं।

सचमुच सामंत इनके गुलाम हैं। पर वे इन्हें गुलामों का एहसास दिए बिना अपना उल्लू सीधा कर लेते हैं। इसके लिए सामंतों को समाज में ऊँचा स्थान दिया जाता है। उससे सामंत संतुष्ट हो जाते हैं और वे समाज में अपनी हैसियत को महत्त्वपूर्ण मान बैठते हैं। शिवचरण की स्थिति इससे भिन्न नहीं है। वह अपने को अंग्रेजों का मित्र मानता है। इस विश्वास को पहली बार ठेस पहुँचती है जब वारफंड के सिलसिले में उसे गिरफ्तार कर लिया जाता है।

द्वितीय महायुद्ध में अंग्रेज़ जापान के खिलाफ युद्ध कर रहे थे। उसके खर्च के लिए उन्होंने अपने उपनिवेश के जमींदारों से वारफंड जमा करने का निर्णय किया। इसमें शिवचरण का हिस्सा पचास हजार रुपया था। वह यह रकम देने का वादा भी करता है। पर वह स्वयं जानता है कि इतना रुपया जमा करना उसके लिए कठिन कार्य है। फिर भी वह किसी न किसी प्रकार अंग्रेजों के साथ के संबंध को बनाए रखने तथा वारफंड में भागीदार बनना मानो अपनी इज्जत का सवाल मानकर वह रुपया देने का वादा करता है। दरअसल उसकी जमींदारी जीर्ण होती जा रही थी। पर शिवचरण यह मानने के लिए तैयार नहीं है। अतः वह अपने छोटे भाई शिवनाथ तथा बेटे बीरेन को गाँव बेचकर रुपया जमा करने का आदेश देता है। इस सिलसिले में बीरेन मेरठ जाता है। पर रुपए का इंतजाम हो नहीं पाता है। इससे भी बढ़कर बीरू बीमार होकर लौट आता है। पैसे के बिना शिवचरण कमिश्नर की मीटिंग में भाग नहीं ले सका। कमिश्नर उसे अपने पास बुला लेते हैं और उससे अनुचित व्यवहार भी करते हैं। अंत में उसे बंदी बना देते हैं। यहीं पर शिवचरण को पहली बार अनुभव होता है कि वह वैसा पहाड़ तो नहीं जैसा कि उसने समझ रखा था। आज वह अपने को तिनका समझता है।

शिवचरण की त्रासदी को और गहरानेवाली घटना है बेटे बीरू का अपाहिज हो जाना। मेरठ जाते समय रेलगाड़ी में अंग्रेज सिपाहियों की पलटन जा रही है। एक डिब्बे में बीरू प्रवेश करता है। उसमें

भी अंग्रेज सिपाही थे। वे देशी आदमियों की तरफ घृणा एवं द्वेषभरी दृष्टि से देखते हैं और बहुत सारे अत्याचार भी करते हैं। बीरू को देखकर एक अंग्रेज सिपाही कहता भी है कि देखने पर लगता है कि शरीफ आदमी हो। अतः वे उसे उस डिब्बे में बैठने देते हैं। वे हमेशा शराब पीते रहते हैं। गाड़ी एक स्टेशन पर रुकती है। एक भिखारिन भीख माँगते हुए वहाँ आ जाती है। उसका पति युद्ध में मर गया है। अब वह अनाथ है। अपने भूखे बच्चों के पालन की विवशता में भीख माँगती है। एक अंग्रेज सिपाही उसे एक रुपये का नोट भीख देने की लालच दिखाकर गाड़ी के अंदर खींच लेता है। सबके सब मिलकर उस पर बलात्कार करते हैं और बाद में उसे चलती गाड़ी से कहीं फेंक देते हैं। बीरू इस घटना का साक्षी है। अंग्रेज सिपाहियों ने धमकी देकर उसे संडास में बंद करके सारा कार्य किया था। इस अमानवीय वृत्ति के सामने बीरू कुछ भी न कर पाने की विसंगति को झेलता रह जाता है। धीरे-धीरे उसका सारा 'बेखरुसिस्टम' खराब हो जाता है और उसके पैरों की शक्ति नष्ट हो जाती है। मेरठ से वापस आया बीरू जरा भी चल-फिर नहीं पाता । डॉक्टर हलधर के इलाज के उपरांत उसे अच्छा इलाज करवाने के लिए लखनऊ ले जाते हैं और वहाँ के डॉक्टरों के कथन से स्पष्ट है कि बीरू की नसें बिलकुल ठीक हैं। पर उसके मन को जो धक्का लग गया था उसी ने उसको शारीरिक एवं मानसिक स्तर पर अपाहिज बना दिया है। इसके लिए इलाज की जरूरत नहीं बल्कि उस आघात से उबरने की कोशिश करनी चाहिए।

उपन्यासकार ने बीरू और उसकी पत्नी को यों ही अपाहिज दिखाया नहीं है। बीरू उस सामंत वर्ग की नई पीढ़ी की प्रतीकात्मक प्रस्तुति है। वह वर्तमान समाज की भीषणताओं, अत्याचारों एवं अमानवीय वृत्तियों के सामने निष्क्रिय रहने की त्रासदी को भोगता रहता है। भारत भर की जनता अंग्रेजों के विभिन्न प्रकार के शोषणों से आक्रांत है। उनके सामने अंधकार ही अंधकार छाया हुआ है।

गाँधीजी ही आशा की एकमात्र किरण हैं। अंग्रेजों के अत्याचारों का साथ देनेवाला वर्ग है सामंत। बीरू अपने को इस सामंत वर्ग के होने पर भी लज्जा का अनुभव करता है। वह भी गाँधीजी पर आशा रखता है। बीरू अपनी बीमारी के बावजूद अंग्रेजों की निंदा तथा गाँधीजी की प्रशंसा करता है। वह अपने पिता शिवचरण से भी यही कहता है कि उन्हें वारफंड के लिए रुपया नहीं देना चाहिए। ये भारत के पोषक नहीं शोषक हैं, इन्हें जल्दी से जल्दी यहाँ से भगा देना चाहिए। बीरू के कथन में उसका अंतर्मन बोल उठता है। विदेशी सत्ता के क्रीतदास बने अपने वर्ग पर वह भीतर ही भीतर पछताता है।

चत्तरसिंह बीरू से बिलकुल भिन्न है। वह अधिक व्यावहारिक बुद्धि रखनेवाला नौजवान है। वह काफी सक्रिय तथा अंग्रेजों के खिलाफ संघर्ष करता है। वारफंड देने से इनकार करके कांग्रेस में शामिल हो जाता है। जब कांग्रेस का शासन शुरू होता है तब उसका प्रभुत्व ज्यादा बढ़ जाता है। उसके सामने शिवचरण धीरे-धीरे सिमटता जाता है। अब चतरसिंह कांग्रेस का नेता है और समाज में उसका व्यक्तित्व जम जाता है। उसके सामने शिवचरण अपने को तुच्छ महसूस करता है। फिर भी मन ही मन संतोष का अनुभव करता है कि चतरसिंह ने सही रास्ता अपना लिया है। अपनी तुच्छता के बावजूद वह अपने ही बेटे चतरसिंह की उपलब्धियों पर तसल्ली पाता है। सचमुच शिवचरण अपने को तुच्छ स्वीकारनेवाला नहीं। क्योंकि उसके भीतर उस सामंती संस्कार का अहं बैठा हुआ है जिससे शिवचरण की पीढ़ी का मुक्त होना असंभव है।

शिवचरण की त्रासदी को और गहरानेवाली घटना है बहू के जेवरों को सौंपकर अंग्रेजों की कैद से मुक्त होना। वह अब तक दूसरों के लिए आश्रय रहा लेकिन अब वह स्वयं आश्रयहीन बन गया। जिनके प्रति उसके मन में श्रद्धा एवं दृढ़ विश्वास था उन्हीं से वह धोखा खा लेता है। वह अनुभव करता है कि अंग्रेज नमक-हराम हैं। जब तक हम देते रहेंगे तब तक हमारी तरफ ममता दिखाते

हैं। उनसे नाता जुटा रखना संगत नहीं। फिर किससे जुड़े रहेंगे? पता नहीं। कांग्रेस से जुड़ने की कामना तो है लेकिन उससे जुड़ने में वह अपने को असमर्थ पाता है। शिवचरण जैसे सामंती चरित्र के लिए कांग्रेस बेमेल लगती है। इस प्रकार शिवचरण एक ऐसी दुविधा में फँस जाता है जिससे उबरना उसके लिए नामुमकिन बन जाता है। अंग्रेजों से अलग होकर कांग्रेस से जुड़ न पाने की स्थिति उसकी दुविधाग्रस्तता को गहराती है। समय ने जिस नए यथार्थ को पैदा किया है वह शिवचरण की समझ के बाहर का रह जाता है।

शिवचरण के जीवन की और एक त्रासदी है चत्तरसिंह। अपने प्रिय मित्र अमीरसिंह के साथ भी वह ईमानदार नहीं रह सका। उसकी पत्नी के साथ के रहस्य संबंध का परिणाम है चत्तर। चत्तर को अपना बेटा न कह पाने की स्थिति में तथा चत्तरसिंह के बढ़ते सामाजिक प्रभुत्व के सामने अपने को तिनका समझने के संदर्भ में शिवचरण आत्मसंघर्ष के शिखर पर पहुँच जाता है। चत्तर की माँ से गाँव के बयाने के बहाने समय-समय पर रुपया वसूल करने के साथ शिवचरण की जमींदारी की आखिरी सीढ़ी भी टूट जाती है। वह अपने चारों ओर अँधेरा ही अँधेरा देखता है। आशा की किरणें नहीं। उसे ऐसा लगता है कि सबके सब उसके खिलाफ हैं। वह बिलकुल बेसहारा होकर अँधेरे में टटोलता रहता है। इस अँधेरे से, अपने पतन के अनोखे क्षणों से ईषद तसल्ली उसे डायरी लिखने से मिलती है। शिवचरण अपनी डायरी के पन्नों में पूर्णतः खुलता है। अंग्रेजों के प्रति विद्रोही मानसिकता तो है पर उसे व्यावहारिक स्तर पर लाने में वह असमर्थ है। वह उसे भीतर ही भीतर दबा रखता है। बीरू के बीमार पड़ जाने पर वह अपने को बेसहारा ही नहीं बिलकुल पापी मानता है। इस पापबोध को और गहरानेवाली घटना है बहू का निधन। इसके साथ शिवचरण का सारा नियंत्रण टूट जाता है। एक बार वह शराब भी पी लेता है। शराब के नशे में लड़खड़ाते पैरों पर चलनेवाला शिवचरण अपने वर्ग एवं संस्कार

की जीर्णता का प्रतीक बन जाता है।

उपन्यास की पंक्तियों के बीच से गुजरने पर और एक त्रासदी सचेत पाठकों की मेधा को कुरेदती है। वह देश की राजनीति में पनपती त्रासदी है। यह उपन्यासकार की रचनाधर्मिता की अंतर्दृष्टि को सूचित करती है। विदेशी सत्ता को हटाने तथा देशी शासन व्यवस्था को प्रतिष्ठित करने का प्रयत्न पूरे भारत में जोरों पर चल रहा था। इसके लिए विभिन्न राजनीतिक दल अपनी-अपनी मानसिकता के अनुसार काम कर भी रहे थे। सबसे अधिक सशक्त दल कांग्रेस का रहा क्योंकि उसके नेतृत्व में गाँधीजी थे। पर विरोधाभास की बात यह है कि कांग्रेस में सारे कूड़े-करकट आ मिलते हैं। इसलिए कांग्रेस के उच्चतर आदर्शों को लागू कर पाने में बाधाएँ उत्पन्न होती हैं। यह भी नहीं स्वाधीनता प्राप्ति के साथ ही साथ कांग्रेस के नेतृत्व में जो लोग आ पहुँचे हैं वे सचमुच जनसाधारण के अंतरंग से अपरिचित थे। दरअसल वे क्षयग्रस्त सामंत ही थे। शिवचरण अपनी डायरी में लिखता भी है, लोगों ने अपनी पोशाकों को बदल लिया है। चेहरे बदल डाले...सुक्खू बदल गए। मैं भी बदल जाऊँ। (पृ. 436) चत्तरसिंह कांग्रेसी इसलिए बन गया कि वह सामंतों के साथ के अंग्रेजों की नीति से नफरत करता है। दूसरे ढंग से कहें तो वह पूँजीवादी व्यवस्था से नफरत करता है। उसके मन में सामंतवादी व्यवस्था की इच्छा है। वह अपने को बनाए रखना चाहता है। अपने ऊपर किसी का शासन सह नहीं सकता था। इसलिए कांग्रेस उसके लिए एक आश्रय मात्र है। उसका दृष्टिकोण सामंतीय है। यही कारण है कि कांग्रेस की समाजवादी दृष्टि विकसित नहीं होती है। कांग्रेस के नेतृत्व में चत्तर जैसे अनेक सामंत हैं। उनकी रग-रग में सामंती रक्त बह रहा है। अतः शोषण, भ्रष्टाचार, अनैतिकता, अत्याचार आदि नए तेवर में प्रस्तुत होते हैं। ये सचमुच देश और जनता के भविष्य को कलंकित करनेवाले जरूर हैं। इनके सामने जनता का भविष्य नहीं, देश की उज्ज्वलता की चिंता नहीं। ये अपने बारे में सोचते हैं। ये जनसेवक नहीं बल्कि स्वयंसेवक हैं। अतः उपन्यासकार

देश के राजनीतिक भविष्य पर संदेह प्रकट करता है।

गोया कि 'जुगलबंदी' भारत के इतिहास को अपने अंतर्नेत्र से देखने-परखने तथा आलोकित करने का उपक्रम है। सामंती युवा पीढ़ी की नपुंसक प्रतिक्रिया (बीरू) और भारतीय नारी की विडंबनाग्रस्त स्थिति (बीरू की पत्नी) को प्रतीकात्मक ढंग से औपन्यासिक परिदृश्य में प्रस्तुत करते हुए उपन्यासकार देश और देश की जनता के भविष्य के प्रति अपनी प्रश्नाकुल मानसिकता प्रस्तुत करता है। 'जुगलबंदी' इस अर्थ में सार्थक भी है कि इसमें विपरीत असमर्थता का संघर्ष मिलता है। शिवचरण सत्ता से जुड़ना चाहता है। देश की बदली हुई परिस्थिति में वह कभी-कभी कांग्रेस से जुड़ पाने की कामना करता है पर जुड़ नहीं पाता। यही विडंबना है। बाद में वह स्वयं समझ लेता है कि उसका रास्ता अलग है और कांग्रेस का अलग। अतः अंत में शिवचरण अपने लिए सही रास्ता चुन लेता है—आत्महत्या। शिवचरण की मृत्यु सचमुच सामंती व्यवस्था के अंत की ओर इशारा करती है। 'जुगलबंदी' देश के ऐतिहासिक, राजनीतिक, सामाजिक, आर्थिक एवं सांस्कृतिक मसलों को अपने लघु कलेवर में समेटनेवाला बहुआयामी उपन्यास है।

चरमराता सामंती ढाँचा और डूबते हुए 'लोग'

•

शांती नायर

राजनीति को जब व्यापक दृष्टिकोण से देखा जाता है तो हम पाते हैं कि वह कभी भी अपने आप में स्वतंत्र नहीं है। राजनीति सामाजिक और नैतिक दृष्टिकोण एवं जीवन की गहन परतों से सशक्त रूप में जुड़ती चली जाती है। मानवीय संसक्ति एवं नैतिक बोध को मूल्य युक्त एवं पुष्ट राजनीति की अनिवार्यता के रूप में स्वीकार किया जा सकता है। पुष्ट समाज का व्यापक एवं बृहद् संकल्प और मनुष्य मात्र के विकास की संभावनाएँ राजनीति के अभीप्सित पहलू हैं। किंतु इन संकल्पों के बावजूद भी असंख्य अवांछित एवं अस्पृहणीय स्थितियों का समावेश राजनीति में हो जाता है। सामाजिक स्थितियाँ इससे अछूती नहीं रह पातीं।

द्वितीय महायुद्ध के बाद आजादी के पहले तक की भारत की सामाजिक एवं राजनीतिक पृष्ठभूमि से सीधा साक्षात्कार करानेवाला उपन्यास है 'लोग'। तत्कालीन हलचलों, परिवर्तनों एंव प्रतिक्रियाओं की अनुगूँज 'लोग' में हमें मिलती है। 'लोग' के पात्रों के संदर्भ में बताते हुए स्वयं लेखक का कहना है—मेरा संघर्ष उपन्यास में दो स्तरों पर था। एक स्तर यह था जो जमाना गुजर रहा है, जिसके लोग, आज ऐसा वक्त आ गया है कि देखने को नहीं मिलते। उन लोगों की जिंदगी को कैसे पकड़ा जाए? और जो आनेवाले आधुनिकतावादी लोग हैं उनके सामने इस तस्वीर को कैसे रखा

जाए जिसको मैंने अपनी आँखों से बदलते हुए देखा है। यह बदलाव का जो जमाना था, मुझे कहीं न कहीं लगता है कि बदलाव मेरे अंदर हुआ है और अपने अंदर होनेवाले बदलाव को मैं कैसे जल्दी से जल्दी अर्थवत्ता देकर प्रस्तुत कर सकूँ यह मेरा बहुत बड़ा संघर्ष था (लोठार लुठ्से से गिरिराज किशोर की बातचीत)।

अंग्रेजी हुकूमत ने अपनी ताकत को और अधिक मजबूत बनाने के लिए भारत के प्रभावशाली जमींदारों के साथ एक प्रकार का गठबंधन स्थापित कर लिया था। उन्हें वफादार और निष्ठावान बना दिया था। पदवी, पदोन्नति, पुरस्कार आदि के अनेक ऐसे प्रलोभन थे जिनकी वजह से तथाकथित जमींदार वर्ग स्वयं को अंग्रेजों की सेवा या चापलूसी में बनाए रखता था या रखना चाहता था। दूसरे महायुद्ध के बाद वादे के अनुसार भारत की आजादी लगभग तय थी । स्वतंत्रता के लिए होनेवाले आंदोलनों का निर्णायक दौर था।

संक्रमण के इस दौर में अंग्रेजों के पुराने वफादार और खैरख्वाहों ने हवा का रुख देखकर कांग्रेस का साथ पकड़ लिया था क्योंकि इसी में उनके हित और भविष्य की सुरक्षा थी। लेकिन शासन के प्रति निष्ठावान रहनेवाले इन तमाम लोगों में कुछ लोग ऐसे भी थे जो स्वतंत्रता प्राप्ति और अंग्रेजों के चले जाने की संभावनाओं को जान कर भी हृदय की गहराइयों में स्वतंत्रता के सत्य को अपना नहीं पा रहे थे। देश में जब नयी सामाजिक प्रवृत्तियाँ और नयी शक्तियाँ आकार ग्रहण कर रही थीं उस समय भी यह अभिजात वर्ग अंग्रेजों से जुड़ा था। देश में इन नयी तब्दीलियों के दौरान यह वर्ग अपने आपको विकलांग-सा महसूस भी करने लगा था, क्योंकि कुछ बैसाखियों की आदत इन्हें पड़ गई थी। हीनता की यह भावना इन्हें जहाँ आर्थिक स्तर पर महसूस हो रही थी वहीं सामाजिक स्तर पर भी वे इसको अनुभव कर रहे थे। नयी तब्दीलियाँ इनके भीतर तरह-तरह की आशंकाएँ पैदा कर रही थीं, जैसे मूल्यहीनता की, संस्कार हीनता की, उच्छृंखलता की, विघटन आदि की आशंकाएँ उनके मन में जन्म ले रही थीं। अंग्रेजों का जाना

पूरे वर्ग के व्यक्तित्वहीन हो जाने की सूचना थी। ('लोग' की भूमिका)

'लोग' के केंद्र में रावतपुर के जमींदार यशवंत राय की कथा है। यह कथा संभवतः उस समय के अंग्रेजों के खैरख्वाह रहे हर जमींदार की कथा है। द्वितीय महायुद्ध के बाद इंग्लैण्ड की जीत पर लोग यशवंत राय को बधाइयाँ देने आते हैं और मिठाइयाँ बँटती हैं। वास्तव में इंग्लैण्ड की जीत की खुशी का उत्सव राय साहब के यहाँ जिस प्रकार मनाया जाता दीख पड़ता है वह उनकी अंग्रेजपरस्ती के ही अनुरूप है। इस अंग्रेजपरस्ती या खैरख्वाही की वाजिब कृपा भी अंग्रेजों की राय साहब पर है।

किंतु राय साहब जैसे लोगों से अंग्रेजों के गहरे संबंध में शासन की सहायता हेतु मित्रता के भाव के अलावा एक दूसरा पक्ष भी है। जीत की खुशी में क्लब में डिनर का आयोजन किया जाता है। ऐसे मौके पर भी राय साहब अपना धर्म नहीं छोड़ते और कलई किये हुए गिलास में शरबत पीते हैं किन्तु इस दिन किसी अंग्रेज द्वारा राय साहब को शराब पिलाकर धर्म भंग करने की बात इस प्रकार की जाती है—आम और कलक्टर साब राय साब का बाजू पकरेगा, मिसेज स्मिथ एण्ड मिसेज़ ब्राउन वन-बाई-वन राय साब का माउथ में वाइन पोर करेगा। (पृ. 20) इसके जवाब में राय साहब अपने शरीर को हिलाकर इस प्रकार कहते हैं कि—"जब मैं इस तरह करूँगा तो आप दोनों तो जमीन देखेंगे, एंड बोथ स्वीट लेड़ीज विल बी इन माई लैप।" (पृ. 20) अंग्रेज मेमों के प्रति हल्का-सा मजाक भी कप्तान स्मिथ को बरदाश्त नहीं होता। शासक वर्ग का अपना 'कॉम्पलेक्स' है। वह हिन्दुस्तानी व्यक्ति को किसी हालत में अपनी बराबरी करते नहीं देख सकता चाहे वह कितना ही खैरख्वाह क्यों न हो। स्मिथ की नाराजगी भी राय साहब पर बनी रहती है। बाद में राय साहब की गाड़ी ब्राउन की कोठी में घुसने नहीं दी जाती है। बलपूर्वक घुसा दिये जाने पर घोड़ियों को पीटकर भगा दिया जाता है। राय साहब का पोता भी घायल हो जाता है।

इस अपमान से संतुलन खोकर राय साहब स्मिथ पर रिवाल्वर तान लेते है। किंतु ब्राउन के बीच में आने से ही स्थिति कुछ सँभलती है। बाद में भी स्मिथ राय साहब की जमींदारी में रहनेवाले लोगों को लगातार परेशान करता रहता है।

भारत पर शासन करने के लिए अंग्रेजों को निश्चित रूप से एक प्रबल वर्ग की आवश्यकता थी किंतु उसके पश्चात् उन परिस्थितियों में जब भारत की आजादी लगभग निश्चित थी और हुकूमत बदलने के दिन करीब आ गये थे, इस अवसर पर अंग्रेजों को इन खैरख्वाहों की आवश्यकता कम ही रह गयी। जनता भी जो कि इनका पहले दबदबा मानती थी अब उनकी उपेक्षा करने लगी। ऐसी स्थिति में जमींदार वर्ग किंकर्तव्यविमूढ़ था।

राजनीति का रुख बदल गया है अतः म्यूनिसपैलिटी के चुनाव में राय साहब जिस चेयरमैन पद पर पिछले बीस वर्षों से लगातार विराजमान होते आये थे वहीं इस बार चुनाव में इन्हें हार का सामना करना पड़ता है। राय बहादुर जगदीश रावत, खान बहादुर, इकरामुल हक और उमरासिंह की संगठित शक्ति का सामना करने के लिए राय बहादुर के पुत्र तथा उनके हितैषी शराब से लेकर वेश्यावृत्ति तक का सहारा लेते हैं। किन्तु सभी कुछ व्यर्थ सिद्ध होता है। नाइटहुड के लिए अपने साथ इकरामुल हक का नाम भेजे जाने पर राय साहब अत्यधिक दुखी होते हैं। कर्ज पर कर्ज लेकर भी वे इसके लिए कोशिश करते रहते हैं किंतु निराशा ही हाथ आती है।

जिस यशवंत राय का व्यक्तित्व घर और बाहर सभी पर छाया रहता था वही अब समय के इस परिवर्तनशील चक्र में स्वयं को हल्का महसूस करने लगते हैं। सारी स्थितियाँ जहाँ उनके लिए अवांछित है वहीं अप्रत्याशित भी हैं। कभी-कभी स्थितियों में आयी तब्दीली की खीज को वे परिचितों या नौकरों पर भी उतारते हैं। उन्हें लगता है कि हर कहीं उनके खिलाफ कोई षड्यंत्र है।

राजनीति में अपना स्थान बनाए रखने के लिए अवसरवादिता का सहारा हर कोई लेता है। राय साहब के ही साथ जो लोग

अंग्रेजी हुकूमत के वफादार बने रहा करते थे वे अब अंग्रेजी हुकूमत को ढहते और कांग्रेस को जोर पकड़ते देखते हैं तो कांग्रेस के साथ हो जाते हैं किंतु राय साहब के टूटते जाने का कारण भी संभवतः यही है कि वे अवसरानुकूल अपने को बदल नहीं पाते। अंग्रेजों का संबल बने रहकर उनके रोब व रुतबे की आड़ में राय साहब पलते रहे किंतु उनका साया हटते ही वे अपने आपको असहाय पाने लगे।

अंग्रेजों के साथ राय साहब की मित्रता या उनकी वफादारी वास्तव में शासन और पूँजीवाद के गठबंधन का ही परिणाम था किंतु इस गठबंधन के व्यावहारिक पक्ष से बढ़कर जब राय साहब इसके जड़त्व की स्थिति में आ जाते हैं तो उनके लिए आगे बढ़ निकलना कठिन हो जाता है। गाँधीजी के सत्याग्रह के बारे में उनका कहना है कि "महात्मा का बाना पहन कर रियासत की लड़ाई लड़ना बेईमानी है...हिंदुस्तान ऐसा देश है कि किसी के सामने महात्मा के आ जाने का मतलब उसकी मजबूरी होती है। या अगर महात्माजी के इस जनाना धर्म के सामने सरकार घुटने टेक गई तो मेरी नजरों से वह भी गिर जाएगी।' (पृ. 68)

यहाँ तक कि आजादी मिलने के बाद भी यशवंत राय यह मानने को तैयार नहीं हो पाते हैं कि आजादी गाँधी जी के सत्याग्रह की बदौलत मिली है और न ही वे इस बात को स्वीकार कर पाते हैं कि अंग्रेज सरकार ने हार मानी है—"अंग्रेजों का अपने आप मुल्क छोड़कर चले जाना गाँधीजी की जीत है? किस मुँह से गाँधी उसे जीत मानेंगे?...शिकार के बाद अगर शेर को लौटते देखकर जंगल के जानवर ये समझें कि शेर हमारे डर से लौटा जा रहा है तो शेर का क्या कसूर।" (129)

इन सभी में अंग्रेज शासन के प्रति आस्था की भावना नहीं अपितु उससे कहीं बढ़कर भविष्य की असुरक्षा की चिंता है और वही आशंकाएँ राय साहब के वर्ग के लोगों को तोड़ती दीख पड़ती हैं। सत्ता के साथ जो गठबंधन इनका था वही वास्तव में इनकी

शक्ति एवं सुरक्षा था। यशवंत राय की कमजोरी संभवतः यही है कि वे अपने आपको अंग्रेजों के शासक वर्ग से इरादतन बाह्य तौर पर जोड़ने की बजाय मानसिक रूप से भी जोड़ बैठे, इस जोड़ को तोड़कर अपने को अगली हुकूमत से जोड़ना उनके लिए संभव न हो सका।

नीदरसोल द्वारा कांग्रेस ज्वाइन करने की बात कहने पर भी वे इस कटु यथार्थ को अनदेखा कर जाते हैं। उन्हें सर्वाधिक चिंता इस बात की है कि जमींदारों का क्या होगा—"हम लोग भी थैले लटकाए सड़कों पर घूमा करेंगे। नौकरों के सौ-सौ साल पुराने घरों से कहना होगा कि आप लोग अपना इंतजाम करें।" (पृ. 130) इसका आभास भी उन्हें अपनी आर्थिक स्थिति से मिल जाता है। अंत में उन्हें एहसास होता है कि समय वास्तव में बहुत अधिक बदल चुका है।

देश की संक्रमणशील परिस्थितियों में विभिन्न प्रकार के लोगों, वर्गों की भूमिका जहाँ स्पष्ट होती है वहीं हम देखते हैं कि हर समय या हर काल में पूँजीवाद का गठबंधन सत्ता के साथ बना रहता है और दोनों एक-दूसरे को पुष्ट करते हैं। संक्रमणशील समय में यशवंत राय की जो स्थिति है वह देश के शायद सभी ऐसे जमींदारों की स्थिति रही है जो मानसिक रूप से भी सत्ता से जुड़ गए थे।

उपन्यास का संदर्भ बताते हुए गिरिराज किशोर स्वयं कहते हैं कि ये स्थितियाँ एक सामंती परिवार से जुड़े होने के कारण उनके लिए जानी-पहचानी हैं। वे कहते हैं कि "मेरा एक ऐसा परिवार था जिसको थोड़ा-बहुत सामंतवादी कहा जा सकता है। उस परिवार में मैंने उसका अवक्षय भी देखा था और उसको सम्मानजनक स्थिति में भी देखा था। उन लोगों की कुछ सनकें थीं, कुछ मान्यताएँ थीं, कुछ संघर्ष थे। वे ही कहीं न कहीं अहम् का, परंपराओं का और एक रूप अपनी सीमाओं से निकलने का ज्यादा बड़ा संघर्ष रहा है। इसके पात्र जैसे बाबा हैं वो एक ऐसे व्यक्ति हैं जो एक खास वातावरण में पले-बड़े हुए हैं और उसके बाद भी वे उसी रूप

में चलना चाहते हैं। जो परिवर्तन सामाजिक क्रांति के रूप में कांग्रेस के माध्यम से या किसी और माध्यम से हो रहे थे उसके साथ वह चल पाने में अपने आपको असमर्थ पा रहे थे। यही कारण था कि उन्होंने अंग्रेजों को अपने समाज से अधिक महत्त्व दिया। उन अंग्रेजों को जो लोग मानते थे, उन्होंने उनके अपने जीवन में ज्यादा महत्त्व दिया और उस महत्त्व से अपने को अलग कर पाने की असमर्थता में वे उनके साथ अधिक देर तक जुड़े रहे। (लाठार लुठ्से से गिरिराज किशोर की बातचीत) इससे अलग हट कर उन लोगों की बात अलग ठहरती है जो लोग कांग्रेस के साथ अवसरानुकूल जुड़ गए थे। ऐसे लोगों की संख्या भी कम नहीं है।

सामंती ढाँचे के चरमराने की पीड़ा भरे पात्र जहाँ उभरते हैं वहीं समस्त बाढ़ से सत्ता का राजनीति के साथ गठबंधन भी दीख पड़ता है। ऐसे प्रसंग भी 'लोग' में उभरे हैं जहाँ कि अवसर आने पर अंग्रेज शासन इन सामंतों के प्रति अति अमानवीय हो उठता है जिन्होंने अंग्रेजी सत्ता के कँगूरे को गिरने से हमेशा बनाए रखा। राय साहब की घोड़ियों को बुरी तरह पीटा जाना और उनके पोते को घायल करना इस अमानवीयता की पराकाष्ठा है। इस नृशंसता के बावजूद सत्ता से अपने आपको जोड़े रखने में कहीं न कहीं अपनी स्थिति को बनाए रखने की चिंता ही है। 'लोग' एक बच्चे की दृष्टि से देखा गया है। इसमें टिप्पणी तो नहीं किंतु यह निश्चय ही काल की कथा है।

इतिहास के पृष्ठों को जहाँ यह उपन्यास लगातार स्पर्श करता प्रतीत होता है वहीं राजनीति की देश में जो भावी संभावनाएँ हैं उस पर भी प्रकाश प्रक्षेप अवश्य यहाँ होता है। यही कारण है कि आज के समूचे परिवेश से काटकर 'लोग' को कदापि नहीं देखा जा सकता। समय के साथ बदलने वाले रवैये और स्वार्थ हेतु इरादतन टूटने-जुड़नेवाले गठबंधन यहाँ बहुत ही बारीकी से उभरते हैं। इसी कारण उपन्यास जहाँ विश्वसनीय जान पड़ता है वहीं प्रासंगिक भी है।

'परिशिष्ट' : असम्मान की यातना से गुज़रती जिंदगी

•

डॉ. डी. दस्तगिरि

'परिशिष्ट' उपन्यास के दो परिशिष्ट हैं—एक, 'जाँच रिपोर्ट का खुलासा' और दो, 'जाँच अधिकारी के नाम सुबरन चौधरी का पत्र'। ये दोनों परिशिष्ट अलग-अलग होते हुए भी विषय की दृष्टि से एक-दूसरे के पूरक हैं। पहले परिशिष्ट के अंत में लिखा हुआ है—"और पहाड़ को कंबल से ढँक दिया गया।" (पृ. 306) दूसरे का समापन इस तरह किया गया है—"अगर हम लोगों के होनहार बच्चे इस अनजान 'दाने' की भेंट चढ़ते रहेंगे तो हम किसलिए जिंदा रहेंगे।" (पृ. 307) पहला परिशिष्ट, अभिजात्य के द्वारा दलित की प्रतिभा को उभरने न देने या उसे ढँके रखने के प्रयास को सूचित करता है तो दूसरा उसके दुःखद परिणाम को। एक कारण है तो दूसरा कार्य या परिणाम। दीन-दलित के दुःखद जीवन का कारण सहित विश्लेषण उपन्यास में किया गया है। लगता है, दीन-दलित या निम्न तबके के लोगों के प्रति अभिजात्य की असम्मान की भावना ही उपन्यास में समस्या बनकर आई है। असम्मान आदमी की जीवनी शक्ति को तोड़ता है, क्योंकि समाज में सम्मान के साथ जीने की आशा हर किसी की होती है और वही सम्मान नहीं मिलता है तो उसे जीवन में कुछ भी नहीं मिलता है। आदमी भूखों रह सकता

है, तरह-तरह की कठिनाइयों का सामना कर सकता है, लेकिन वह पल भर के लिए भी वहाँ नहीं रहना चाहेगा, जहाँ उसको थोड़ी-सी पहचान या गौरव प्राप्त न होता हो। सामाजिक पहचान जीवन को पूरी तरह जी लेने के हौसले को बढ़ावा देती है।

लेकिन सर्वहारा या दलित को अभिजात्य सम्मान के साथ जीने नहीं देता है। उसकी प्रतिभा को वह न पहचानना चाहता है, न उसे उभरने ही देता है। दलित की उभरती प्रतिभा को वह बेरहमी के साथ कुचलने और तोड़ने की ही कोशिश करता है। अनुसूचित को जहाँ अभिजात्य इनसान के रूप में सम्मानपूर्ण जीवन जीने नहीं देता है वहीं खुद सम्मान के योग्य न होने पर भी वह सम्मान की माँग करता है। यही बड़ी विसंगति है। शील और व्यवहार की दृष्टि से योग्य न होते हुए भी अभिजात्य का अपने को योग्य समझना और योग्य होते हुए भी अनुसूचित का अपने को अयोग्य समझना, यही बड़ी सामाजिक विसंगति है। यह सामाजिक विसंगति ही 'परिशिष्ट' की रचना-भूमि बनी हुई है। उपन्यास की भूमिका यही संकेत देती है : "जातियाँ अनुसूचित नहीं होतीं। मानसिकता... होती है। मानना और समझना, दोनों।" जन्म से, और धर्म से भी, समान होते हुए भी जाति और वर्ण के नाम पर अनुसूचित माना या समझा जाना वास्तव में विशिष्ट प्रकार की मानसिकता ही होती है। हर जाति में, अभिजात्य में भी और अनुसूचित में भी अच्छे लोग होते हैं और बुरे भी, प्रतिभावान भी और मंदबुद्धि भी। प्रतिभा किसी जाति तक सीमित नहीं होती है। प्रतिभा की कोई जाति नहीं होती है। वह किसी की बपौती भी नहीं होती है। इसलिए अभिजात्य के होने मात्र से अनुसूचित की प्रतिभा को नजरंदाज करने या उसे असम्मान की दृष्टि से देखने की कोई जरूरत नहीं होती है, होनी भी नहीं चाहिए। ऐसा होने पर समाज की वही स्थिति होगी जिसकी ओर लेखक ने संकेत भी किया है : "विकसित होते समाज में अपेक्षाएँ और इच्छाएँ वेगवती नौकाएँ हो जाती हैं। वे सतह पर अबाध बहना चाहती हैं। ऐसे में कुछ नौकाओं के पालों से हवा निकाल दी जाय तो वे यात्राएँ परिशिष्ट

मात्र रह जाती हैं। (भूमिका) अपेक्षाओं और इच्छाओं के परिशिष्ट में पहुँचने पर व्यक्ति को प्राप्त 'मानसिकता' का निरूपण उपन्यास में उच्च स्तर की शिक्षा-संस्था के माध्यम से किया गया है। संपूर्ण सामाजिक जीवन का अपरिहार्य अंग बनकर हर किसी को झकझोरने और प्रभावित करनेवाली इस मानसिकता को हमें सही संदर्भ में समझना होगा।

अनुसूचित को प्राप्त असम्मान का विस्तार उपन्यासकार ने विविध संदर्भों के माध्यम से किया है। अनुसूचित होने या अपने को अनुसूचित समझने की मानसिकता वैसे ही नहीं बनती है। व्यापक समय और विडंबनापूर्ण स्थितियों से गुजरने के बाद ही इस तरह की मानसिकता बनती है। उपन्यास में दो परिवारों की दो क्रमिक पीढ़ियों की व्यापक कथा के द्वारा यह मानसिकता उभारी गई है। व्यापक समय और वैविध्यपूर्ण संदर्भों के माध्यम से इसका कथानक उक्त मानसिकता को विकसित करता गया है। पहली पीढ़ी में बावनराम और सुबरन चौधरी आते हैं तो इन्हीं की संतान अनुकूल और रामउजागर अगली पीढ़ी में आते हैं। बावनराम के द्वारा अनुसूचित होने की मानसिकता को खोलनेवाले प्रत्यक्ष प्रसंग लाए गए हैं तो सुबरन चौधरी के द्वारा अप्रत्यक्ष अनुभव। रामउजागर और अनुकूल इस मानसिकता की वर्तमान स्थिति को सूचित करते हैं।

पुरानी पीढ़ी का सुबरन चौधरी जीवन को गहरा देखा हुआ है। वह अपने लंबे अनुभव के आधार पर कहता है : "हम और हमारे बच्चे आप लोगों की नजर में जरूर नीच हैं। पर हम अपनी नजर में जरा भी नीच नहीं हैं। हम जानते हैं कि इनसान होते हुए इनसान बनकर रहने की परेशानियाँ क्या होती हैं। आप नहीं जानते। आप तो इसी गुमान में जीते हैं कि आप लोग इनसान ही पैदा होते हैं और जिंदगी भर इनसान ही बने रहते हैं।" (पृ. 306) अनुसूचित और उनके बच्चों को बिना कारण के नीच समझनेवाले समाज में अपने बेटे रामउजागर को आइ.आइ.टी. में प्रवेश दिलाने और उसे वहाँ पढ़ाने के दौरान अपमान की कितनी

तीखी स्थितियों से सुबरन को गुजरना पड़ा होगा, यह सिर्फ समझने की बात है। अनुभवों के तीखेपन को उसका यह स्वर गुंजित करता है—"आपके पास हमें देखने की कोई और नजर है ही नहीं बस ये नीच हैं। इन्हें नीचों की तरह रहना चाहिए। इसलिए इस कुएँ से निकलने के लिए उचककर जो भी डाल पकड़ते हैं, उसे ही आप काट देते हैं। अगर मैं और मेरी औरत श्रवण के अंधे माँ-बाप हुए होते तो आप लोगों को यह शाप दिए बिना न मानते कि आप भी हम लोगों की योनि में आकर एक बार हमारी तरह जिंदगी को जरूर भोगें।...चुप हैं। आप हमें चुप भी नहीं रहने देना चाहते। (पृ. 307)

सुबरन की ही तरह बावनराम भी असम्मान की यातना को निरंतर झेलता आया है। उसका अनुभव हमें समझाता है कि इनसान की आर्थिक और सामाजिक स्थिति ही उसके साथ होनेवाले व्यवहार को निर्धारित करती है। आर्थिक और सामाजिक स्थिति नहीं बनती है तो व्यक्ति सम्मान के योग्य नहीं माना जाता है। वह असम्मान की दृष्टि से ही देखा जाता है। इस यातना से घबराने या असहनशील होने से काम नहीं चलेगा। यातना को झेलते हुए, उसी में से आगे बढ़ने के लिए रास्ता बना लेना होगा। इसलिए यातना के बावजूद बावनराम कभी असहनशील नहीं होता है और बड़े धैर्य के साथ अपना काम करता जाता है। उपेक्षा की छोटी-बड़ी छींटाकशी को वह नजरंदाज कर देता है। अंततः अपनी योजना और आकांक्षा के अनुसार बेटे अनुकूल को आइ.आइ.टी. में दाखिल करा ही लेता है। कभी-कभी उसका जी घबराने लगता है। साथ ही जातिवाद और धर्म के ढोंगपूर्ण व्यवहारों को देखकर उसका मन आक्रोश उगलने लगता है। सांसद चौधरी मंगल सिंह तक से आक्रोशपूर्ण स्वर में वह कहता है—"जब से गाँव छोड़ा, इतना कभी नहीं सहा...जितना कल से आज तक गुजरा है।...भगवान ने हमें नीच बनाया है... इसलिए अपनी सीमाओं का हमेशा ध्यान रखा। मेरी समझ में नहीं आता कि अपने को इतनी-इतनी ऊँचाइयों पर आसीन समझनेवाले

लोग हम को नीच बताने के लिए अपनी उन ऊँचाइयों से इतना नीचे क्यों उतर आते हैं?...अगर कुछ काम बनने की उम्मीद होगी और रुकना पड़ा तो धर्मशाला में जा टिकेंगे।" (पृ. 70) धर्मशाला तक में व्याप्त जातिवाद के आतंक को लेकर वह भड़क उठता है—"धर्मशाला में रहने के लिए जरूर कोई और जात बतानी पड़ेगी...सभी बड़ी जातों की हैं।" (पृ. 222) शिक्षा के अधिकारी कृष्णन साहब ने भी जातिवाद के आतंक का अंदाजा देते हुए कहा था—"आइ.आइ.टी. में पढ़ाना हर एक के बूते की बात नहीं। बच्चे पर इतना तनाव रहता है कि हर साल एक-दो आत्महत्याएँ हो जाती हैं।" (पृ. 72) फिर भी बावनराम अपने एकमात्र और होशियार बेटे अनुकूल को उसी संस्थान में दाखिल कराकर जातिवाद की यातना को भुगतने के अपने साहस का परिचय देता है।

सहनशील होने के साथ-साथ स्थिति के अनुसार साहस के साथ काम लेना भी बावनराम और सुबरन चौधरी जानते हैं। इस पीढ़ी का यही तरीका अगली पीढ़ी में आनेवाले रामउजागर और अनुकूल का भी बना हुआ है। संघर्ष को आगे बढ़ाने के लिए साहस जितना जरूरी होता है उससे भी अधिक सहनशीलता की जरूरत होती है। साहस और सहनशीलता दोनों का सीधा संबंध यातना से होता है। इनको हम यातना की ही उपज कह सकते हैं। इसलिए उपन्यास में आई दोनों ही पीढ़ियाँ जातिवाद के संदर्भ में, जो अनुसूचित की प्रतिनिधि पीढ़ियाँ हैं, असम्मान की यातना को साहस के साथ झेलती और सहन करती जाती हैं।

शिक्षा, धर्म, समाज, राजनीति, प्रशासन आदि जीवन के लगभग सभी क्षेत्रों में अनुसूचित को प्राप्त इस यातना को हम देख सकते हैं। समस्या जीवनव्यापक है, इसलिए गंभीर भी है। समस्या की गंभीरता को लेकर नीलम्मा सोचती है—"भूख की तरह ही तिरस्कार को भी लगातार सह पाना कठिन होता है। भूख को तो पेट का गढ़ा भरकर भी शायद शांत किया जा सके, पर तिरस्कार से कोई निस्तार नहीं। निरंतर बरमे की तरह अंदर उतरता चला जाता

है। शायद इसलिए स्नायु रास्ता दे देते हैं और फिर यह सब कुछ होता है, जो हो रहा है। लोहा पिघलने लगता है, पत्थर धरती में उतरते चले जाते हैं...कहीं कुछ नहीं रहता है।" (पृ. 219) असम्मान और तिरस्कार का निरंतर शिकार होता रहा अनुसूचित, अपने जीवन में, कहीं कुछ पाता नहीं है। न ऊँची शिक्षा से कुछ होनेवाला है, न धर्म या प्रशासन से ही। तिरस्कार को झेल लेने और जिंदगी में घिसटते रह जाने के सिवा उसके लिए कुछ भी रह जाता नहीं है। अनुसूचित की ईमानदारी, इनसानियत, सहृदयता, हर अच्छी चीज को 'न' कर देने को अभिजात्य ठान बैठा है तो अनुसूचित तिरस्कृत होने या दुतकारे जाने के लिए तैयार बैठा है। जो तिरस्कार के लिए तैयार बैठा है उसे तिरस्कृत कर देने में क्या हर्ज हो सकता है। एक तिरस्कृत कर देने को तैयार है तो दूसरा तिरस्कृत होने को। तिरस्कार का कार्य तिरस्कृत होने या तिरस्कृत कर देने की मानसिकता के कारण घटित हो रहा है। नीलम्मा सही सोचती है—"जो बाहर घटित हो रहा है, वह पहले से ही अंदर घटित होता रहता है।" (पृ. 220) अपने को छोटा, या सम्मान से वंचित समझना, अथवा दूसरों को अपने से ज्यादा योग्य और प्रतिभावान समझकर उनके सामने दबकर रहना, इसी से तो दूसरों में तिरस्कार की भावना पनपने लगती है। दूसरों के सामने खुद अपने को असहाय और असमर्थ मान बैठने की मनःस्थिति अनुसूचित की बनी हुई है। उसकी यह मनःस्थिति उसी के व्यवहारों, खासकर उसके दब्बूपन, के द्वारा व्यक्त होने लगती है। वह दूसरों के सामने अपने आपको बच्चा या टच्चा, जो भी हो, समझने लगता है। वह खुद-ब-खुद असहाय और दयनीय बन जाता है और इसीलिए उपन्यासकार नीलम्मा के माध्यम से कहता है—"असहाय होता पुरुष संपूर्ण समाज़ को अपंग कर देता है...असहाय होने से बड़ी दयनीयता कोई नहीं है।" (पृ. 221) खास तौर पर यह स्थिति तब और दर्दनाक होने लगती है जब हर तरह से समर्थ/योग्य पुरुष, जो दूसरों को आगे बढ़ने में मदद दे सकता हो, अपने आपको, बिना ठोस कारण के,

बेसहारा/असहाय समझने लगता है। कर्मठ और ईमानदार होते हुए भी पुरानी पीढ़ी के बावनराम और सुबरन चौधरी अपने आपको बेसहारा समझते हैं। असहाय होने की यह दयनीयता बावनराम के शब्दों में झलकती है—"हम लोगों का कोई नहीं, हम लोग अपनी मदद करने की सामर्थ्य नहीं रखते। जो मदद के लिए खड़ा हो जाय उसी को भगवान समझते हैं।" (पृ. 194) इसी तरह सुबरन चौधरी भी, आक्रोशपूर्ण स्वर में ही सही, असहाय होने की अपनी दयनीयता को व्यक्त करता है—"मैं किसी को दोष देना नहीं चाहता। अपने फूटे भाग्य की हँडिया को किसी के सिर फोड़ने से क्या लाभ...आपके इस जाँच का खेल देखने आने का तो न साहस है न गुंजाइश। आखिर मुझे क्या मिलना है? जो खोना था सो खो चुका।" (पृ. 307) पूरी पीढ़ी के सामने कुछ न कर पाने या चुप रहने की विवशतापूर्ण यातना फैली हुई है। पूरी पीढ़ी चुप है। लेकिन वह चुप भी रहने नहीं दी जाती है। अनुसूचित को असहायता के दलदल में ढकेलना और उसे उसमें डूबते-धँसते देखकर पैशाचिक आनंद उठाना, अभिजात्य का संस्कार बन गया है। उसे सताए बिना, रियाया के रूप में उससे सेवाएँ लिये बिना उससे रहा नहीं जाता है। अनुसूचित को देखने की इससे अलग दृष्टि अभिजात्य की कभी बनी ही नहीं। ये नीच हैं, नीच की तरह ही रहना चाहिए। जो भी ऊपर उठने की कोशिश करता है उसे बेरहम कुचल दिया जाएगा। असहायता के कुएँ में अनुसूचित बेसहारा हो निरंतर गिरता ही जाता है। इसी स्थिति को बढ़ावा देते हुए जाँच रिपोर्ट में दर्ज किया गया था : "इससे पूर्व कि खूबसूरत और विशिष्ट संस्थान को पिछड़े वर्ग के मरघट का नाम दिया जाय यह बेहतर होगा कि किसी व्यावहारिक नीति का निर्माण कर लिया जाय। इस तरह के संस्थानों में उसी स्तर के छात्रों को स्थान मिलना चाहिए जो उसकी गरिमा के अनुरूप हों। उबलते दूध का बर्तन उसी को थमाया जाता है, जिसके पास उसे थामने का साधन होता है। अन्यथा दूध भी बिखरेगा और सँभालनेवाला भी जलेगा। अगर सुधार की दिशा में कोई पहल

नहीं की गई तो इस मनोरम ताल का संपूर्ण जल गँदला हो जाएगा।" (पृ. 305) प्रशासन की ओर से अनुसूचित की जिंदगी को बेहतर बनाने की कोई पहल नहीं की जाती है। स्थिति को यथावत् जारी रखने की साजिश को लेकर जाँच रिपोर्ट बनाई जाती है। अभिजात्य के पक्षधर प्रशासन के बलबूते पर ही तो खन्ना निडर और निर्मम होकर सहपाठी अनुकूल को बड़ी भद्दी गाली देता है—"रियाया की स्थिति से ऊपर उठने में अभी समय लगेगा। अगर हम लोगों की बराबरी करनी थी तो वैसा ही बीज चाहिए था।" (पृ. 153) यह अभिजात्य का अहं है। खन्ना चाहता है कि अनुसूचित सिर्फ रियाया बनकर ही रहें, जैसे कि वह पुरखों से रहता आया है। उनकी अपनी राय न हो। आपातकाल की स्थिति में वह जी लें। सही राय जाहिर करने या विरोध का रुख अख्तियार करने पर पिटाई से ही काम लिया जाय। बराबरी की बात करने पर खन्ना और उनके साथी अनुकूल को पीट ही देते हैं। पिटकर भी अनुकूल अभिजात्य के अहं को समर्पित नहीं होता है। समर्पित होकर पुरखों ने बड़ी भारी भूल की थी। वह भूल अनुकूल दुहराना नहीं चाहता है। समर्पण से कुछ बननेवाला नहीं है। इससे तो अभिजात्य का अहं बरकरार रहता ही है, साथ ही उत्पीड़न की उसकी ताकत अक्षुण्ण रहती है। यह सोचकर अनुकूल लाठी से बात करना भी नहीं चाहता है। समर्पण भी नहीं, आक्रमण भी नहीं। सिर्फ यातना-उत्पीड़न को झेल लेने की स्थिति है। झेल लेने की यह स्थिति तब तक नहीं टूटेगी जब तक पीटनेवाला थक न जाय या उसमें करुणभाव प्रदीप्त न हो जाय। अनुकूल कहता है—"हमें तब तक बर्दाश्त करना चाहिए जब तक उनके अत्याचार की सीमा का अंत नहीं हो जाता। यह तय हो जाने पर स्थिति स्वयं काबू में आ जाएगी।" (पृ. 175) अत्याचार की तीव्रता को कम या समाप्त करना आवश्यक होता है। ताकत को समर्पित होने से यह कभी संभव नहीं होता है। उसे झेल लेने से ही संभव होता है। बड़ों की समर्पित मानसिकता को अनुकूल और आगे बढ़ाना नहीं चाहता है। वह कहता है—"हमारे

बड़ों ने अपने आपको उन लोगों के पैरों पर डाल देने की आदत के कारण उनकी अत्याचार करने की सामर्थ्य को कम करने के स्थान पर बढ़ाया ही है। इस तरह का व्यवहार करके वे सब अपने को दिन-पर-दिन छोटा करते जा रहे हैं। ताकत को घटा रहे हैं।" (पृ. 176) पुरखों के समर्पित सेवाभाव की इस कमजोरी को अनुकूल समझ गया है। वह समर्पण की जगह सहनशीलता को अपनाता है। यहीं अनुकूल अपनी पुरानी पीढ़ी के बावनराम और सुबरन से अलग पड़ता है। पिता का अनुभव उसे सिखाता है—कुछ बनने के लिए बहुत कुछ खोना या सह लेना पड़ता है। पिता ने कहा था—"जिंदगी में कुछ बनने के लिए यह सब भी जरूरी है। हमारे बाप-दादों के साथ जो हुआ, उसी का असर तो हम लोगों के मनों पर भी पड़ा है। कब से सब सहते चले आ रहे हैं, लेकिन कभी महसूस नहीं किया। जब से महसूस करना शुरू किया तो बदलाव दिखाई दिया। अब यह आनेवाली पीढ़ी शायद इसे और भी ज्यादा महसूस करे।" (पृ. 32) सहने और झेल लेने का संकल्प अनुकूल का इसीलिए बना हुआ है। बर्बरता का जमाना लद गया है। आत्मसम्मान के साथ जीना, यही आज के युग की माँग है। युगजीवन की इस माँग को अनुकूल समझ गया है। अनुकूल के समर्थन में नीलम्मा कहती है—"अब मरने-मारनेवाला, खूनखराबा करनेवाला या तीर-कमान लेकर जंगल में घुस पड़नेवाला साहसी नहीं कहलाता है।...बल्कि कुछ मामलों में वह कायर ही होता है। अधिक-से-अधिक सहन कर ले जाना और अपनी आत्मसम्मान की हदों को, बाहरी दबावों के कारण आगे-पीछे न करना ही साहसी होने का प्रमाण है।" (पृ. 177) इसीलिए खन्ना और उसके साथियों से बुरी तरह पिटकर भी अनुकूल सहनशीलता के अपने सिद्धांत से टस-से-मस नहीं होता है, अपने संकल्प में किसी तरह की ढील आने नहीं देता है।

असम्मान की यातना को सहज रूप में झेल लेने के अलावा और कोई विकल्प अनुसूचित के सामने अभी खुला नहीं है। यह

उपन्यास की प्रासंगिकता भी है। सहनशीलता का ही एकमात्र विकल्प बचता है और यही आदमी की सबसे बड़ी ताकत होती है। संघर्ष के लिए इसकी सख्त जरूरत होती है। इससे आदमी यातना की तीव्रता का अंदाजा लगा लेता है और साथ ही वह अपनी सीमाओं को भी समझ जाता है। इसी से विरोधी में दयाभाव उभरने लगता है। पिता बावनराम से अनुकूल ने यही सीख लिया है। बावनराम ने अनुकूल को समझाया था—"हतोत्साह होने की जरूरत नहीं। सैकड़ों-हजारों साल का उत्पीड़न भी हमें तोड़ नहीं पाया। हमने अपने धैर्य और जीवित रहने की इच्छा को बरकरार रखा। अपनी सेवा के बल पर अपने को जीवित रखा। छोटे-से-छोटा काम किया, परंतु अपने को नष्ट नहीं होने दिया।...लोग हमसे नफरत करते हैं, उन्हें करने दो। नफरत दीमक की तरह उसी घर को खा जाती है जिसमें रहती है। हमें अपनी तरफ से किसी को नफरत करने की जरूरत नहीं। जाति के कारण क्या नफरत और क्या प्यार।" (पृ. 106) वास्तव में, बावनराम ने किसी से नफरत नहीं की थी। दुर-दुर, पर-पर की जिंदगी के बावजूद वह अपने को, और अपने परिवार को बनाने का ही प्रयास करता रहा। असम्मान की यातना के बावजूद अपने को बनाने का उसका प्रयास प्रशंसनीय है। जीवन में उसको प्राप्त दुतकार-फटकार का ही यह परिणाम है। सांसद चौधरी साहब से वह यही कहता है—"यह बच्चा इसलिए पैदा नहीं हुआ कि बाप की तरह लोहा-लंगड़ ढोए।...अगर यही लड़के आगे बढ़ने की नहीं सोचेंगे तो फिर हम लोगों के सामने से तो 'आगे' शब्द ही लोप हो जाएगा। एकाध कदम तो ये भी आगे बढ़ें, चौधरी साहब।" (पृ. 62) वक्त का तकाजा है, और वक्त की प्रतीक्षा बावनराम को है। "समय सूरज है। धीरे-धीरे उदय होता है। उदय होने पर सबकुछ रोशन हो जाता है। अँधेरा तक।" (पृ. 65) इसीलिए उसकी नीति बनी हुई है—"मंजिल पर पहुँचना हो तो रास्ते की तकलीफों को नजरंदाज करना पड़ता है।...जन्मधरे का दंड है, हम नहीं भोगेंगे तो कौन भोगेगा।" (पृ. 70) लेकिन सहनशीलता की हद भी तो

होती है। बेहद यातना के कारण उसका दम घुटने लगता है तो वह चौधरी मंगलसिंह से कह ही देता है—"संसार में इनसान का खून ही ऐसी वस्तु है जो बिना आँच के खदबदाने लगता है। तब तक ठंडा नहीं होता जब तक कि कारण खत्म न हो जाय। हम लोगों के खून तो कभी खदबदाए नहीं, क्योंकि उसे पानी करके ही हमारी नसों में डाला गया था। लेकिन इन बच्चों का खून तो खून ही है।...गर्म तो हो ही सकता है।" (पृ. 70) बावनराम का यह क्रोध, प्रतिरोध का रुख अख्तियार न करे, इसलिए और कोई मार्ग न पाकर चौधरी साहब अनुकूल के प्रवेश की बात को आगे बढ़ाता है। लेकिन बावनराम अपने को काबू में रखता है। संयम को खोकर वह बनते काम को बिगड़ने देना नहीं चाहता है। वह अपने काम के लिए बहुत कुछ सह सकता है, और सहता आया है। वह अपने मंसूबे को लेकर अनुकूल से कहता है—"अपने काम के लिए दूसरों की दाब तो सहनी पड़ती है। तुम्हारा दाखला हो जाय, मेरी जिंदगी सकारथ लग जाय। अभी तक तो मैंने लोहा-लंगड़ ही ढोया...सबकी नजरों में मूरख बनकर ही जिंदगी गुजारी। जिस दिन तुम इंजीनियर बनकर निकलोगे, उस दिन मेरी यह सारी मूरखता अकलमंदी में बदल जाएगी। यह जो जात-पाँत की भिनकन जान को लगी है, यह धुल-पुँछ जाएगी। सब तुमको देखेंगे, तुम्हारे ओहदे को देखेंगे।" (पृ. 48) ओहदे के अभाव में प्राप्त बेइज्जती को वह खूब भुगत चुका है। वह कहता है—"बेइज्जती के जिस तल को मैं देख आया हूँ, उससे नीचे बस पाताल ही है और कुछ नहीं। उसके ऊपर जो भी होता है, हमें तो वह इज्जत ही मालूम पड़ती है।" (पृ. 53) लेकिन बेइज्जती का बखान कर बावनराम जवान होते अनुकूल को हतोत्साह करना भी नहीं चाहता है। सिर्फ बेइज्जती की तीव्रता को समझाता है ताकि अनुकूल जैसे नौजवान उससे मुक्त होने की जरूरत को महसूस करें। उससे मुक्त होने के लिए आवश्यक विकल्प की तलाश करें। इसलिए वह समझाता है—"नौजवान होते हुए लोगों के लिए सबसे बड़ी हिम्मत अपनी इज्जत ही है।

आदमी काम आए न आए, इज्जत काम आती है। पर अभी वह स्थिति नहीं। अभी तो हमें अपनी बेल हर उस पेड़ पर चढ़ने देने के लिए तैयार रहना है जो सहारा देने को तैयार हो।...बिना सहारे के हम अभी अपनी बेल को जिंदा नहीं रख सकते...हम जिस काम से आए हैं, उसमें तब तक लगे रहना जब तक कि आशा की नाव डूब ही न जाय।" (पृ. 53) "अपने दम घुटने की परवाह न करके उस चीज की परवाह करना हमारे लिए जरूरी है जो हमारे दम घुटने का कारण है।" (पृ. 53) बावनराम अपने काम से मतलब रखता है, अपने काम तक वह सीमित है। आगे वही समझने लगता है कि व्यक्ति के स्तर पर कुछ बनना या आगे बढ़ना ही सबकुछ नहीं है। यातना से मुक्त होने के लिए अनुसूचित को एक वर्ग या एक सम्मिलित शक्ति के रूप में आगे बढ़ना होगा। बेटे अनुकूल को, इसीलिए, अनुसूचित की शक्ति बनकर आगे बढ़ने के लिए वह प्रेरित करता है—"ठीक है, गड्ढा बहुत गहरा है। हिम्मत हारना ठीक नहीं है। खुद भी निकलो औरों को भी निकालो।...ऐसे कब तक पड़े रहेंगे...निकलना तो होगा ही।" (पृ. 52) व्यक्तिचेतना को बावनराम वर्गचेतना में परिणत करना या विस्तृत करना चाहता है। वह कहता है—"हम लोग तो उस सब को इन तक पहुँचानेवाले पुल हैं, पुल। पहुँचाकर टूट जाएँगे। आगे इनका काम होगा, अपने आगे के लोगों को और आगे कैसे पहुँचाएँ।" (पृ. 32) असम्मान की यातना का अनुशीलन-विश्लेषण अब व्यक्ति के स्तर पर नहीं अपितु वर्ग के स्तर पर होने लगा है। अतः अनुकूल अपने लिए नहीं, अपने साथियों तथा अपनी जाति के लोगों के लिए यातना को झेलने का संकल्प करता है। पिता के बहुत समझाने पर भी वह संस्थान को छोड़कर वापस घर नहीं जाता है। अपने वर्ग के हितों के परिरक्षण के लिए वह कृतसंकल्प है। "अब मैं यहाँ आ गया हूँ तो मुझे यहीं रहने दें। इस मौके पर यहाँ से चला जाना मुझे तो हताश करेगा ही, औरों को भी कर देगा।" (पृ. 190) दलित वर्ग के हित को ही लेकर आगे वह कहता है—"फिर हम लोगों

को कभी-न-कभी तो अपने दिलों के डरों से तो मुक्त होना ही पड़ेगा। जब तक हम अपने को उठाकर ऊपर न खड़ा कर लें तब तक हर एक क्षण हम को इन स्थितियों का सामना करते रहना पड़ेगा।" (पृ. 191) यह संघर्ष की निरंतरता है। संघर्ष को जारी रखने के लिए अनुकूल अपने-आपको टटोलता है, सह लेने के लिए आवश्यक अपनी शक्ति को बटोरता है। अपने गिरेबान में खुद झाँक लेता है। हौसले को हमेशा बुलंद रखने के लिए पिता ने कहा था, क्योंकि जाति और धन से कमजोर आदमी हौसले के सहारे ही अपनी कमजोरी को ताकत में बदल लेता है। उसमें आत्मसम्मान की भावना पनपने लगती है। वास्तव में यही आदमी की सबसे बड़ी ताकत होती है। गाँधी इसी के बल पर महात्मा बने हैं। समाज में सम्मान के साथ जी लेने के समान अधिकार की साधना के लिए अनुकूल 'वर्ग' की ओर से वर्ग का प्रतिनिधि बनकर आगे बढ़ता है।

आदमी की ताकत को यातना झकझोरती है। यह बोध जगाती है कि विडंबनाओं के बावजूद जीवन जिया जा सकता है। यातना आदमी को जीवन जीने के लिए प्रेरित करती है। यातना को सही अर्थ में लेनेवाला कभी भी तोड़-फोड़ या बर्बरता को अपना नहीं सकता है। वह अधिक सहनशील ही हो सकता है। उसमें जीवनशक्ति तीव्र हो उठती है। बावनराम, सुबरन चौधरी, रामउजागर, अनुकूल असम्मान की यातना को इसी अर्थ में लेकर उसे जीने या झेलने की कोशिश करते हैं, विरोध या प्रतिरोध का रुख अपनाते नहीं हैं। इनसानियत की यह सच्ची कसौटी है।

सहनशीलता की गरिमा को असम्मान की यातना के संदर्भ में बोधगम्य बनाने की विशिष्टता 'परिशिष्ट' की अपनी है।

मानवीय संकट का बिंब

•

शांती नायर

संवेदनशील रचनाकार समय की नब्ज को पहचानता है। गिरिराज किशोर ऐसे ही एक रचनाकार हैं। समकालीन राजनीति के तंग गलियारे हों या समकालीन सामाजिक स्थितियों की असंगतता में बदलते इनसानी रिश्ते या ढहते और उभरते आर्थिक-सामाजिक मूल्य, इनका सीधा साक्षात्कार गिरिराज किशोर के कथा साहित्य में मिलता है।

गिरिराज किशोर के कथा साहित्य के सामाजिक प्रसंग अति सूक्ष्म हैं। हम जिस कठिन समय से होकर गुजर रहे हैं उसका बाह्य स्वरूप उसका वास्तविक रूप नहीं है, क्योंकि अमानवीयता इसका अंतरंग स्वभाव हो गया है। वह इसलिए है कि हमारा सामाजिक आचरण पहले की अपेक्षा भीषण बन गया है। हमारी दृष्टि कर्मकांडी युग की हो गई है। ऊँच-नीच के दलदल में हम फँसते जा रहे हैं। गिरिराज किशोर इस इतिहास-सत्य से पूरी तरह से परिचित हैं।

पिछले लगभग तीन दशकों के समयांतराल के दौरान दलित साहित्य के नाम पर लगातार तरह-तरह के नारे बुलंद किए जाते रहे। विविध साहित्यिक प्रवृत्तियाँ भी समुचित आकार ग्रहण करती रहीं। चर्चाओं-परिसंवादों से लेकर बड़े-बड़े वार्षिक सम्मेलनों तक का आयोजन इस संदर्भ में किया जाता रहा। इन तमाम उपक्रमों

के बावजूद भी एक बात प्रश्न-चिह्न की भाँति हमेशा बनी रही कि इन सभी शोर-शराबे और बुलंद नारों के बीच तथाकथित दलित वर्ग के लोगों का जीवन और उनका परिवेश और उनकी समस्याएँ क्या समग्र रूप से उभर पाई हैं या नहीं। दलित साहित्य की परंपरा के होने के बावजूद एक प्रकार से देखा जाय तो यह वर्ग अस्पृश्य ही रहा है। क्योंकि दया तो पर्याप्त मात्रा में उमड़ती दिखाई देती है किंतु न इस वर्ग की आशाओं-आकांक्षाओं का चित्रण हुआ है और न ही वे व्यथाएँ यहाँ पर उभारी गई हैं जो उनके लिए इस वर्ग में पैदा होने मात्र के कारण हैं। इसी बिंदु पर आकर इस क्षेत्र में गिरिराज किशोर के लेखन की प्रासंगिकता दीख पड़ती है। हरिजन समाज का जीवन परिवेश और तमाम आरक्षणों के बावजूद इसके सामने जी पाने की समस्याएँ और एक तरफ प्रशासन की उदासीनता तथा दूसरी ओर जातिगत वैमनस्य के कारण लगातार इस पर होनेवाली अमानवीय हरकतों के प्रक्षेपास्त्रों की मार से तड़फड़ाते दलित कहलाने की वर्ग की स्थिति का वास्तविक चित्र गिरिराज किशोर ने अपने उपन्यास 'यथा प्रस्तावित' में उभारा है।

गिरिराज किशोर मानते हैं कि दलित वर्ग की समस्याओं को लेकर जो परिवर्तन आए हैं उनके साथ अभी लेखक पूरी तरह जुड़ नहीं पाया है। भारतीय समाज में ये परिवर्तन बहुत ही महत्त्वपूर्ण हैं क्योंकि वह वर्ग जो अभी तक अपनी पहचान उपेक्षित वर्ग के रूप में रखता था उसे गरिमा मिली है और उसने साहित्य में अपनी पहचान बनाई है। परंतु यह अनुभव और जीवन की मुख्य धारा का अंग नहीं बन सका है। यह एक बहुत बड़ी चुनौती है जिसे नजरंदाज करके लेखक बहुत बड़े सत्य की उपेक्षा करेगा। रचनाशीलता की मुख्य धारा का रुझान वैसे भी इतनी जल्दी तय नहीं होता। उसमें समय लगता है क्योंकि जब तक समकालीन लेखन के बारे में सब कसौटियाँ इतनी संवेदनशील नहीं हो जातीं कि रडार की तरह आनेवाले परिवर्तनों को परिलक्षित कर सकें, तब तक रुझान के बारे में स्पष्ट तस्वीर नहीं बनती। (निमित्त, अंक दो, दिसंबर

1995) दलित वर्ग और हरिजनों के जीवन तथा परिवेश को काफी हद तक मुख्य धारा का अंग बना कर 'यथा प्रस्तावित' में चित्रित किया गया है।

नौकरशाही की अमानवीयता और यांत्रिकता इस उपन्यास में तिलमिला देनेवाले एहसास के रूप में उभरती है। एक हरिजन कर्मचारी के प्रति दफ्तर के अन्य कर्मचारियों एवं अफसरों के व्यवहार और उसके परिणाम और प्रतिक्रियाएँ ही संपूर्ण उपन्यास में अभिव्यक्त हैं। उपन्यास की लगभग तीन चौथाई कथा कार्यालय की फाइलों के रूप में ही उभरती है, फिर भी विषयगत संवेदना इतनी अधिक है कि न तो कथा के प्रवाह में कोई रुकावट महसूस होती है और न ही तीखेपन में किसी प्रकार की कमी का एहसास होता है। दफ्तर के अन्य कर्मचारियों की हरिजन कर्मचारी के प्रति इस बीभत्स मानसिकता के पीछे जहाँ एक ओर अनुसूचित जाति के लोगों को प्रदान की जानेवाली सुविधाओं को लेकर होनेवाली जलन है वहीं दूसरी ओर जातिगत वैमनस्य भी कार्य करता है जिसे वे उस पर अनुशासन की संज्ञा देकर लागू करना चाहते हैं। और अंततः यही 'अनुशासन' की संज्ञा प्राप्त वैमनस्य हृदयहीनता की पराकाष्ठा पर पहुँच कर नृशंसता की हद में परिणमित होता है।

'यथा प्रस्तावित' का एक अन्य पहलू भी है जो इस सत्य को सामने लाता है कि प्रशासन तंत्र किस प्रकार एक साधारण मनुष्य के साथ अमानवीय ढंग से पेश आता है, उसकी इच्छाओं, आकांक्षाओं के प्रति ही नहीं बल्कि आवश्यकताओं के प्रति भी उदासीन रह कर उसकी कर्तव्यनिष्ठा और संवेदनशीलता को धीरे-धीरे सोखता चला जाता है।

उपन्यास के केंद्र में बालेसर नामक एक हरिजन कर्मचारी है। बालेसर में जहाँ एक ओर कर्तव्यनिष्ठा एवं कार्यकुशलता है वहीं दूसरी ओर संवेदनशीलता भी है। सवर्णों का या सवर्णों से भरे प्रशासन तंत्र का रुख कुछ इस प्रकार का है कि उसे बड़े तर्कातीत ढंग से खतम कर दिया जाता है। बालेसर के जीवन में जहाँ एक

ओर अपने ऊपर निर्भर परिवार के लोगों की अस्वस्थताओं का बोझ निरंतर बीमारियों एवं मौत के रूप में उभरता है वहीं दूसरी ओर ऊँची जाति के सहयोगियों और अफसरों के दुर्व्यवहार के कारण वह असंतुलित सा हो जाता है। उसकी विक्षिप्तता को भी प्रशासन या तो उसकी उद्दण्डता मानता है या काम के प्रति उसकी उदासीनता। प्रशासन का विचार है–

"वह ड्यूटी पर नहीं आता। कामचोर और उद्दंड है। चिट्ठियाँ दो तो लेता नहीं है। जाँच में उस पर लगाए गए सभी आरोप सही पाए गए। उसे सफाई का मौका दिया गया पर वह तो अपने आपको लाट साहब समझता है...उसे नौकरी की क्या जरूरत है? जिसे उसे नौकरी देने की जरूरत है वह उसकी खुशामद करने जाए। आप नौकरी भी चाहें और नखरे भी करें। हम जो भी करेंगे अब न्याय और कानून को दृष्टि में रख कर ही करेंगे। वह तो समझता है कोई उसका क्या बिगाड़ सकता है।...उसे और उसके वर्ग के लोगों को तो सरकार ने कानूनी हदों से बाहर कर दिया है।...अब कुछ नहीं हो...।" (पृ. 12)

बालेसर की घरवाली बताती है कि उसका दिमाग खराब हो चुका है और इस प्रकार उसके मानसिक संतुलन के बिगड़ने की वजह भी इस दफ्तर के लोगों का व्यवहार ही है। किंतु इसके उत्तर में भी उससे यही कहा जाता है कि–"गुनाह के दण्ड से बचने के लिए सब इसी तरह बावले बन जाते हैं। दरअसल दिमाग जरूरत से ज्यादा चलने के कारण ही उन्हें खासे लोग अपने दिमाग को खराब बता देते हैं जिससे मुफ्त की रोटी मिल सके।" (पृ. 13)

बालेसर की फाइल विभाग के निदेशक के पास पहुँची हुई है। उसकी फाइल में बालेसर पर लगाए गए आरोपों एवं शिकायतों की लंबी श्रृंखला ही मौजूद है। इन्हीं शिकायतों के आधार पर बालेसर के मामले की जाँच के लिए कमीशन रखी जाती है। जाँच कमीशन के समक्ष बालेसर की अनुपस्थिति को उसकी उद्दंडता के रूप में ही स्वीकार किया जाता है और कमीशन के द्वारा उसकी सेवाएँ

समाप्त करने की सिफारिश कर दी जाती है। यही फाइल है जो अब निदेशक के पास आई हुई है हस्ताक्षर के लिए।

बालेसर की पत्नी एवं बच्चे बहुत हद तक सभ्य हैं। वे निदेशक के पास पहुँचकर उनसे अनुरोध करते हैं इसी कारण निदेशक उस फाइल पर आँख मूँद कर हस्ताक्षर नहीं कर पाते हैं। लेकिन तथाकथित मामले में अपनी सिफारिश तुरंत लिख पाते हैं। वे बालेसर की पत्नी एवं बच्चों को आश्वासन तो देते हैं कि वास्तविक तथ्यों को जानने के बाद ही कोई निर्णय लिया जाएगा।

तदुपरांत 'यथा प्रस्तावित' की संपूर्ण कथा बालेसर नामक इस हरिजन कर्मचारी की पत्रावली ही है। उसकी पारिवारिक स्थितियाँ उसमें लगातार आई कठिनाइयाँ और असुविधाएँ सभी कुछ इस पत्रावली के माध्यम से ही हमारे सामने आते हैं। बालेसर पर लगाए गए आरोपों की जड़ें खोजने पर पता चलता है कि उसकी सबसे बड़ी गुस्ताखी तो यही है कि वह एक ऐसे वर्ग में पैदा हुआ है जिस पर अस्पृश्यता की तख्ती, सदियों पहले लगा दी गई है। इस वर्ग की छाया से भी घृणा का भाव बनाए रखना लोग अपने धर्म का एक हिस्सा मानते हैं। यहाँ पर भी बालेसर को अपने छोटे से छोटे अधिकार के लिए लगातार संघर्ष करना पड़ता है। जिन कर्मचारियों को बालेसर के साथ दैनिक वेतन पर रखा जाता है उनकी सेवाएँ तो नियमित कर दी जाती हैं परंतु बालेसर की सेवाएँ नियमित करने में सदैव उदासीनता ही बरती जाती है। कभी उसे यदि बर्नी साहब जैसे अधिकारियों का सहयोग प्राप्त हुआ तो वह अपवाद ही है। इस सहयोग की बदौलत इतना तो हो पाता है कि मंत्रालय तक पहुँच गई अपनी शिकायतों के कारण जैसे-तैसे बालेसर की अस्थायी नौकरी स्थायी हो जाती है। बाद में सरकारी नौकरी के कारण क्वार्टर भी उसे मिलता है किंतु बाद में वही बात इन तमाम दुर्घटनाओं का प्रेरक कारण बनी। क्योंकि वह अस्पृश्य जाति का था इस कारण उसके तथाकथित उच्चवर्ग के माने जानेवाले सहयोगी जो पड़ोस में रहते हैं वे उसे गलीज समझ कर सताना

अपना अधिकार समझते हैं। एक बार पत्नी का गर्भपात होता है फिर उसके एक नवजात शिशु की मृत्यु होती है। उसके बाद पैदा हुआ तीसरा बच्चा जो उसके घर के दालान में खटोले पर सुलाया गया था उसे वहाँ पर बड़ी निर्ममता के साथ उलट दिया जाता है। बालेसर शिकायत करता है, प्रतिवाद करने की कोशिश करता है जिसका परिणाम यह होता है कि उसके मकान में आग लगा दी जाती है। अपने सवर्ण पड़ोसियों के बारे में बालेसर की घरवाली कहती है—

"हमारी सिगड़ी से निकला धुआँ तक इन्हें अपवित्र लगता है। जैसे इनकी सिगड़ी बिना धुएँ के जलती है। जात के पवितर ऐसी-ऐसी बकते हैं कि सुनी नहीं जाती।"

तथ्य जो हैं और जैसे हैं उनमें उसके बूढ़े माता-पिता की मृत्यु, पत्नी का गर्भपात और दूसरे नवजात शिशु की मौत से लेकर आगजनी की दुर्घटना और अंततः अपमान और सामाजिक अप्रतिष्ठा की शृंखला बालेसर को मानसिक रूप से असंतुलित कर देती है।

बालेसर के साथ न्यायपूर्ण व्यवहार करनेवाले और उसकी कर्तव्यनिष्ठा को पहचाननेवाले एक मात्र व्यक्ति प्रशासन में बर्नी साहब थे। भूतपूर्व निदेशक बर्नी साहब ने बालेसर का पक्ष लेते हुए प्रशासन तंत्र का एक अमूर्त रूप तो प्रस्तुत किया है। परंतु दुर्भाग्य की बात यह है कि प्रशासन का केवल एक अमूर्त रूप ही सामने आता है। बर्नी साहब ने ही बालेसर की कार्यकुशलता के आधार पर उसे स्थायी करने की सिफारिश की। इसके साथ ही उन्होंने यह मत भी प्रकट किया कि फाइल में सजी वे चिट्ठियाँ जो मनुष्यता को लगातार रौंदने के लिए प्रयुक्त की जा रही हैं उन्हें फाइल से निकालकर फेंकना चाहिए। वास्तव में ये चिट्ठियाँ एक इनसान की जिंदा मौत होने के लिए ही यहाँ उपयोग में लाई जाती हैं। ये दरखास्तें और शिकायतें स्वयं बालेसर के विरुद्ध औजार के रूप में प्रयोग में लाई जाती हैं। बर्नी साहब अपनी संस्तुति में यही अभिव्यक्त करते हैं कि दुर्भावना चाहे चिट्ठी के रूप में

हो या व्यक्ति के रूप में वह संक्रामक प्रभाव डालती है और विस्तृत होती चली जाती है–

"मानवीय संबंधों के बृहद् ताल को जहाँ तक हो हम निर्मल रखें। तभी हम अपने कोमल संवेगों और भावनाओं को सुरक्षित रख सकने में सफल हो सकेंगे। किसी भी बड़े-से-बड़े व्यक्तिगत स्वार्थ और हित से इनसान का महत्त्व कहीं अधिक होता है। चाहे वह जो भी हो और जैसा भी हो।" (पृ. 71)

बर्नी साहब के पश्चात् वर्तमान निदेशक ने बालेसर की पूरी फाइल का अध्ययन किया। वे वास्तविक स्थिति को जानने की इच्छा से बालेसर के घर भी गए। किंतु वहाँ गलियों में लोगों की टिप्पणियाँ उन्हें अस्वस्थ करती हैं। यद्यपि वहाँ जाने के पीछे उनका सदुद्देश्य था किंतु इन टीका-टिप्पणियों के बाद उन्हें स्वयं लगने लगता है कि वहाँ जा कर उन्होंने गलती की।

वे बालेसर की पूरी फाइल का अध्ययन करते हैं किंतु उनके सामने ऐसा कोई भी लक्ष्य वास्तव में उद्घाटित नहीं होता है जिसके आधार पर उसकी सेवाएँ समाप्त की जा सकें और उसकी फाइल बंद कर दी जाए। किंतु तथ्यों का सत्य यहाँ पूर्णतः अस्वीकृत किया जाता दीख पड़ता है और जातिगत वैमनस्य और ईर्ष्या की भावना से युक्त पूर्वाग्रह के कारण तथ्यों से जान-बूझ कर निकाली गई ध्वनि को ही यहाँ स्वीकार किया जाता है।

दलित वर्ग को कागजी तौर पर तो अनेक संवैधानिक अधिकार मिले हैं। इन अधिकारों में से चंद को व्यावहारिक रूप देने का आग्रह करना या यूँ कह लें कि उन्हें व्यवहार में लाने की जिद करना—यही बालेसर जैसे हरिजन वर्ग के एक कर्मचारी की गुस्ताखी है। उसका यह आग्रह या जिद ही उसके सहकर्मियों, उच्च अधिकारियों और पड़ोसियों के उसके विरुद्ध भड़क उठने का कारण बनता है। उनकी यह भड़क वस्तुतः उस समूचे वर्ग के प्रति है जिसके अंतर्गत बालेसर आता है, किंतु सारा गुस्सा यहाँ केंद्रीकृत होकर बालेसर एवं उसके परिवार पर प्रकट होता है।

तमाम संवैधानिक अधिकारों के कागजी तौर पर मौजूद होने के बावजूद हम देखते हैं कि प्रशासन तंत्र का रुख बालेसर जैसे हरिजन कर्मचारी के प्रति पूर्ण रूप से निर्दयता-युक्त है। बर्नी साहब के सुझावों को नजरंदाज करते हुए प्रशासन द्वारा की गई तमाम कार्रवाई इसी बात का स्पष्ट सबूत है। बालेसर अपने नवजात शिशु की दवा एवं चिकित्सा की सुविधा के लिए जब उसका नाम इंदराज में शामिल करने की प्रार्थना कर पत्र लिखता है तो उस पर अधिकारी की टिप्पणी के रूप में नवजात शिशु के पिता का नाम पूछने का आदेश है। एक ओर बालेसर तंत्र की निर्ममता और अमानवीयता की व्याख्या में लग जाता है लेकिन इससे पहले कि तंत्र किसी निर्णय पर पहुँचे, दूसरी ओर उसका नवजात बच्चा दवा-दारू के अभाव में परलोक सिधार जाता है। उसके पश्चात् तो इंदराज बनने का कोई अर्थ ही नहीं। बालेसर की पत्रावली को देखनेवाला वर्तमान निदेशक उदासीन रह कर यही सोच पाता है कि बालेसर को अपने पत्रों एवं दिए गए उत्तरों में यह रवैया नहीं अपनाना चाहिए था। बालेसर के प्रति 'मैं' अर्थात् वर्तमान निदेशक में सहानुभूति का भाव तो है किंतु उसकी तमाम स्थितियों के प्रति अपनी सहानुभूति पर अंकुश लगाते हुए वह सोचता है—

"जो अफसर अपने से नीचे उतर कर इस तरह के लोगों के साथ अपने को जोड़ता है वह एक महान् अफसर कभी नहीं हो सकता। व्यक्ति चाहे हो जाए।" (पृ. 115)

जाँच आयोग की सिफारिशों की वास्तविकता को जानते हुए भी वह बालेसर की पत्रावली 'यथा प्रस्तावित' लिख कर फाइल बंद कर देता है। अफसर और व्यक्ति के बीच का यह बँटवारा वास्तव में अपने दायित्व से बच निकलने का एक बहाना मात्र है। व्यक्ति को यहाँ पर प्रशासन से अलग कर दिया गया अर्थात् प्रशासन को अमूर्त बना दिया गया और यह अमूर्तता ही है जो व्यक्ति की यातना का कारण बनती है। "दलित वर्ग के संबंध में पहले यह समझा जाता था कि इस वर्ग के लोगों के प्रति चाहे

जितनी उपेक्षा की जाय वे उसके आदी होते हैं। लेकिन बालेसर अतिसंवेदनशील व्यक्ति है। जैसे कोई भी किसी भी वर्ग का व्यक्ति संवेदनशील हो सकता है। उसके ऊपर दो ही प्रतिक्रियाएँ हो सकती हैं। या तो वह उसका विरोध करे, अगर वह उसका विरोध नहीं कर सकता या विरोध करने की क्षमता नहीं रखता तो स्वाभाविक है कि उसकी संवेदना कुंठा में बदल जाती है। कुंठा का अतिरेक ही कभी-कभी पागलपन में परिवर्तित हो जाता है।" (गिरिराज किशोर द्वारा साक्षात्कार के अवसर पर कथित) बालेसर पागल है लेकिन हम इस बात को भी पूर्ण समर्थन के साथ कह सकते हैं कि वह अपनी स्थितियों से अनजान नहीं। अपने ऊपर हुए अत्याचारों को वह चलती हुई गोली के रूप में महसूस करता है। बालेसर अपनी स्थिति को यथावत् स्वीकार नहीं कर पाता—

"वह (बालेसर) हँसने लगा और हँसते-हँसते ही बोलता गया, 'आप लोग क्यों सुनेंगे गोली की आवाज। जात के बड़े बात के बड़े...' वह तुकबंदी मिलाता-सा बोलता जा रहा था, 'दिन-रात गोली चल रही है। इन्हें उसकी ठूँ-ठाँ सुनाई नहीं पड़ती, सारा शरीर छलनी हो गया है'।" (पृ. 10)

यह बालेसर द्वारा यथावत् रूप से स्थितियों को स्वीकार करने के प्रति नकार है या उसकी संवेदनशीलता का सबूत है। दूसरी ओर 'मैं' अर्थात् वर्तमान निदेशक है जो बालेसर की तरह पागल नहीं है, समझदार है, दिमागी तौर पर स्वस्थ और मानसिक रूप से स्वतंत्र है, फिर भी स्थिति को समझते हुए वह यथास्थिति को स्वीकारता है और बालेसर की पत्रावली पर 'यथा प्रस्तावित' लिख छोड़ता है।

बालेसर के पक्ष में एक ही अधिकारी ने लिखा था। लेकिन जो लिखा वह इतना सशक्त था कि उसके समर्थन के आधार पर बालेसर को पूर्णतया न्याय मिल पाने की पूरी संभावनाएँ थीं किंतु तथाकथित 'मैं' भी सहानुभूति रखने और मानसिक उथल-पुथल के बावजूद वर्गगत घृणा से परिचालित लोगों के पक्ष में ही रह

पाता है। उसके पास भी अपनी ओर से मात्र एक नपुंसकता युक्त शब्द 'यथा प्रस्तावित' के अलावा फाइल पर लिखने के लिए कुछ नहीं है।

कार्यालयीय वातावरण, पत्राचार का सिलसिला, अवर्णों के प्रति विरोध, सवर्णों के वर्चस्व आदि के चित्र उपन्यास में पर्याप्त मात्रा में अंकित हैं। बालेसर की कठिनाइयों का भी विस्तृत वर्णन है। ये सब भारतीय सामाजिक जीवन के बहिरंग पक्ष हैं। उन पक्षों पर आधारित उपन्यास प्रस्तुत करना भर गिरिराज किशोर का उद्देश्य नहीं है। सामाजिक कार्यकलापों की विस्तृत विवरणिका के रूप में उपन्यास को 'डॉक्युमेंटेशन' के साँचे में ढालकर प्रस्तुत करना भी उनका उद्देश्य नहीं है। श्रेष्ठ उपन्यास की माध्यमिक संभावना से परिचित होने से उन्होंने हमारे सामाजिक विधान से मानवीय बिंब को रूपायित करने का कार्य किया है। वह बिंब मानवीय संकट को संप्रेषित करनेवाला है। बालेसर की कथा हमारे इतिहास की व्यथा है। 'यथा प्रस्तावित' का कार्यालयीय वातावरण मात्र नौकरशाही की वक्रता का नहीं है बल्कि अधिकार और प्रभुत्व के जादुई जाल का है। अतः बालेसर की कथा में से उभरता मानवीय संकट का बिंब अधिकार के प्रखर प्रस्तर-खंड से उभरते हुए चूर-चूर होने के दृश्य को उपन्यासकार ने मानवीय संस्पर्श के साथ सुलभ कर दिया है।

साम्राज्यवादी राजनीति का वर्चस्व

•

डॉ. अरविंदाक्षन

आधुनिक युग में युद्ध की राजनीति के असंख्य रूप हैं, जो पूर्ववर्ती रूपों से भिन्न और कई गुना शक्तिशाली एवं विनाशकारी हैं। अधुनातन हथियारों का संकलन और उसके ऊपर सधे हुए हाथों का नियंत्रण उपनिवेशवादी और साम्राज्यवादी राजनीति का तौर-तरीका है। अपने वर्चस्व को साबित करना उसका लक्ष्य है तथा सबको अपने अधीन करना उसका संकल्प है। आर्थिक संपन्नता और वैज्ञानिक मेधा ने साम्राज्यवादी शक्तियों के लिए मार्ग सुगम कर दिया है। साम्राज्यवादी राजनीति का प्रभुत्व इस कारण से उत्तरोत्तर बढ़ता गया है और राजनीति का यह स्वरूप इतना विकृत है कि उसके सामने मानवीयता का कोई पक्ष टिकता नहीं है। इस प्रकार राजनीति आधुनिक दौर में अपने प्रभुत्व के कारण दूसरी ज्ञानराशियों को अपने अधीन कर के जीवन की तमाम दिशाओं पर अपना दूरवर्ती नियंत्रण (रिमोट कंट्रोल) बनाए रखती है। इसलिए उसका बाह्य रूप इतना सरल लगता है और वास्तविक रूप हमेशा छिपा रहता है। वास्तविक रूप को छिपाना वह अपना धर्म भी समझती है। अमानवीयता को अपने नकाब के तले विकसित करना और शिष्टता का मूल्य प्रचारित करना ही उसका नैतिक बोध है।

नए-नए हथियारों और उनसे जुड़े हुए प्रौद्योगिकी-विकास ने साम्राज्यवादी अंधी दौड़ को और तेज कर दिया है। यह कहना

बेहतर होगा कि प्रौद्योगिकी ने साम्राज्यवाद के सामने अपना सिर झुका लिया है। विपुल संपत्ति, मानव संसाधन और मेधा का उपयोग पूरी तरह से हथियारों के संकलन के लिए हो रहा है। उनकी विनाशकारी शक्ति और तबाही से परिचित होते हुए भी उसकी रफ्तार कम होने की बजाय तेज होती जा रही है। शक्ति का यह संचय राजनीति की अयाचित बढ़त का अच्छा-खासा नमूना है। राजनीति बढ़ती रहना ही चाहती है। विस्तृति पाना चाहती है। जीवन के प्रत्येक क्षेत्र में वह अपना वर्चस्व बढ़ाती रहती है। सुसभ्यता की प्रचारवादी स्थितियों के बीच राजनीति का यह विकास हमारे बीच की बीहड़ता का ही परिचायक है।

गिरिराज किशोर का लघु उपन्यास 'असलाह' राजनीति की साम्राज्यवादी शक्ति को अभिव्यंजित करनेवाला है। इसकी रचना अन्य उपन्यासों से भिन्न होने के कारण साम्राज्यवादी अनैतिकता का कोई स्पष्ट चित्र इसमें प्राप्त नहीं होता है। बाह्यतः यह उपन्यास अमरी नाम के एक व्यक्ति की जीवनी के समान है। उसके बचपन से लेकर वृद्धावस्था तक के जीवन का वर्णन उपन्यासकार ने रोचक ढंग से प्रस्तुत किया है। रोचकता वर्णन शैली की ही विशेषता नहीं है, बल्कि पात्र परिकल्पना और उसकी विशिष्टता से भी संबंधित है। परंतु उपन्यास में विन्यसित सभी मनोकामनाएँ व्यक्तिगत धरातल तक सीमित नहीं हैं। यह सही है कि रोचकता पैदा करने में उसकी कामनाओं का भी योगदान है। पर जिस हल्केपन का सहारा उपन्यासकार ने स्वीकार किया है वह सर्वाधिक मुख्य है जो अकारण भी नहीं है। हल्कापन एक प्रतीति भर है। वह मात्र सृजित है। उसकी आधारभूत प्रतीति उपन्यास की मूल दृष्टि से संबंधित है।

उपन्यास के आरंभ में अमरी छोटा-सा लड़का है, जिसने अपने पिताजी के, जो दारोगा है, पिस्तौल को उठाया और उससे खेलने की जुर्रत की। उस खतरनाक खेल के अंजाम से अपरिचित बालक अमरी खूब पिटता है। भले ही दूसरे दिन दारोगा ने पटाखेबाज पिस्तौल ला दिया, फिर भी वह प्रसन्न नहीं होता। बालक अमरी

वास्तविक हथियार से प्रेम करनेवाला है। हथियार उसका सपना बन जाता है। खतरनाक हथियार ने उसको मोह लिया था जिसके कारण उसका बाल-मन भी खिलौनों में आनंदित नहीं हो पाता है। उपन्यास के आरंभ में ही अमरी की पात्र-विशिष्टता का बोध होता है। हथियार प्रेम ही उसकी विशिष्टता है। बचपन में असलाह देखने की सुविधा मिलने पर वहाँ उसका ऐसा मन लग जाता है कि वह भूल नहीं पाता—"अमरी के चेहरे से बिलकुल नहीं लग रहा था कि वह सुन रहा है। सिर्फ देख रहा था। उसकी आँखों में तरह-तरह के रंग आ-जा रहे थे। वे सब इतने सजीले थे कि अमरी का चेहरा तमतमा रहा था। दरअसल जो खास बात थी वह यह थी कि उसे लग रहा था कि वे सब हथियार उसकी ओर मुखातिब हैं। वह उन्हें देखे या यह सब सुने जो कानों में उँड़ेला जा रहा था। यह बात शायराना लग सकती है, पर थी हकीकत है।" (पृ. 17) आधुनिक साहित्य ने अजीबोगरीब पात्रों को छोड़ दिया था। मगर समकालीन दौर में सहज वृत्तियों से युक्त करके अजीब पात्रों को परिकल्पित करने की प्रवृत्ति बढ़ी है। सामान्यता एवं असामान्यता का यह रचनापरक समन्वय विडंबना को तीव्र करने में काफी हद तक सहायक है।

उपन्यासकार ने उसके हथियार प्रेम को अजीब हरकत के रूप में प्रस्तुत किया है। एक रोचक प्रसंग अमरी की कौमारावस्था में घटित होता है। चंदा नामक लड़की के साथ उसका प्रेम है। वह अपनी प्रेमिका के साथ रोज चानमारी के मैदान में फौजियों की करामात देखने के लिए जाता है। संयोगवश वहाँ वह कर्नल साहब से भी परिचित होता है। प्रेमिका को अपने निकट पाकर भी वह नए-नए हथियारों के संसार में अपने-आपको डुबोता रहता है। इससे उसका प्रेम-संबंध टूट जाता है। उसने खुल्लम-खुल्ला घोषणा की कि—"बस्तीवाले मूर्ख हैं, दीवाने हैं—वे क्या जानें हथियारों का रोमांस कितना सात्त्विक है। उनको प्यार करना कितना बड़ा आदर्श है। हथियारों के प्यार के मुकाबले इनसानी प्यार एवज में कितना कुछ

चाहता है।" (पृ. 30) विचित्रता इस बात में है कि प्रेम संबंध के टूटने से वह डरता नहीं है। हथियारों से उसका प्रेम बढ़ता है। पेशे के रूप में उसे मास्टरी मिलती है। विरोध करने के बावजूद उसकी शादी होती है। इसलिए प्रथम रात्रि के अवसर पर ही उसे अपनी ब्याहता से यह कहना पड़ता है कि "एक दिन आएगा, तुम मानव मात्र की माँ होगी। जब ये सब सलामी देते हुए तुम्हारे सामने से निकलेंगे तो आकाश तक तुमसे ईर्ष्या करेगा।" (पृ. 63) यह घोषणा नववधू के लिए एकदम बेढंगी ही मालूम होती है। अमरी के लिए वह अंतर्मन की घोषणा है जिससे अभिभूत होकर वह अपने जीवन का चयन करता है।

उपन्यास में एक व्यक्ति के व्यवहार का वर्णन न होकर साम्राज्यवादी मानसिकता के वर्णन का जायका ही मिलता है। साम्राज्यवादी नीति में पागल राजनीति का मालिकाना अंदाज ही यहाँ हमें प्राप्त होता है—"अमरी जानता हो या न जानता हो, लोग उसे हथियारों की दुनिया का दादा मानने लगे थे। बिना लड़े-भिड़े और बिना खून-खराबे की राजनीति में उतरे हुए भी उसे 'तैमूर' समझा जाने लगा था। लोग उधर से गुजरते थे और यदि वह अपने तख्त पर मौजूद भी नहीं होता था तो उसके जूतों को सलाम करके आगे बढ़ते थे।" (पृ. 71) उपन्यास में उसके पितृत्व के चित्र को भी विकसित कर दिया गया है। अमरी में न पिता का रोष है, न वात्सल्य है। वह आदमी में से संस्था के रूप में बदलता है। यही संक्रमण उपन्यास की मूल-दृष्टि को गहराता है। अमरी का बदलाव राजनीति की अयाचितता का है। "अगर उन्होंने यह सोचना चालू कर दिया कि उनके अपने हथियारों के अलावा अन्य हथियारों से भी उनका रिश्ता क्यों नहीं बनता तो वे भटक जाएँगे। वे इस पूरी व्यवस्था पर प्रश्नचिह्न लगा सकते हैं। इस तरह की व्यवस्था में सोच और विरोध का कोई स्थान नहीं। अगर वे ये सोचते हैं कि उनका पिता उन्हें तहस-नहस करके मिट्टी में मिला सकता है तो स्वाभाविक है कि उनका सबसे ज्यादा वक्त और दिमाग

पिता को दुश्मन करार देने में और उससे बचने या उसे मात देने में गुजरेगा। उसने तरकीब निकाली। उनकी सुख-सुविधाएँ तो बढ़ाईं ही, साथ ही आदर्शों के प्रति उनकी आस्था को और उकेर दिया। यथार्थ के साथ बननेवाले रिश्ते को कमजोर करने के तरीके लागू किए। निश्चिंतता में वृद्धि की। काम और परेड के कार्यक्रमों को सघन कर दिया। अमरी ने इस बात को समझा कि उनके ऊपर किसी भी तरह का दबाव बढ़ाकर सोचने का अवसर देना व्यवस्था को तहस-नहस करना होगा। सोचने का काम उनका नहीं, उसका है। हर एक सोचेगा तो समस्याओं का जंगल उग आएगा। समाधान ढूँढ़े नहीं मिलेगा। उन्हें अपने-आपको दिमाग तक न ले जाकर हाथों-पैरों तक महदूद रखना है। ऊपर उठने का मतलब धमाका। व्यवस्था का तहस-नहस। क्योंकि उस हालत में वे किसी भी सीमा तक जा सकते हैं। सोच का कोई अंत नहीं होता। उसने अपने संसाधनों का उन पर भी उस तरह प्रयोग करना आरंभ किया जिस प्रकार वह अपने उस लासानी हथियार पर कर रहा था। हालाँकि उसे कठिनाई का सामना करना पड़ रहा था। इसके अलावा उसके पास कोई रास्ता नहीं था। यह बात उसके सामने स्पष्ट हो गई थी कि उसकी यह संतति उसके संघर्ष और चिंतन में कतई हिस्सेदार नहीं हो सकती। यदि उसे अपनी महत्त्वाकांक्षाओं को फलते-फूलते देखना है तो इस पूरे कालकूट को स्वयं विषपायी की तरह गटकना होगा। एक बूँद भी छलककर गिरी तो सब कुछ नष्ट हो जाएगा। स्वतंत्रता का संदेश न देकर, हथियारों के प्रेम को छोटे-छोटे कौरों की तरह खिलाते चले जाना है। बस वे जुगाली करते रहें। यह भी न सोच पाएँ कि वे क्या कर रहे हैं और क्यों कर रहे हैं? प्यार की दुनिया में क्या, क्यों और कैसे का कोई स्थान नहीं...!" (पृ. 82) आदमी समझौता कर सकता है, झुक सकता है, पराजित भी हो सकता है। पर संस्थागत मानसिकता विजित रहना ही चाहती है। उसके साथ सवाल नहीं किए जाते। उसे मान्य समझा जाता है। अमरी को ऐसे ही विकसित दिखाया है। उसकी घोषणा

में उसी नृशंसता का परिपाक है जो साम्राज्यवादी प्रभुत्व में आकार हम पाते हैं—" 'देखो, मेरे पिता ने मेरी शादी जबरदस्ती की है। मैं आदमियों को कम हथियारों को ज्यादा प्यार करता हूँ...आदमी को भी प्यार करूँगा तो हथियार मानकर...' वह भौचक्की-सी देखती रह गई। उसकी समझ ही में नहीं आया कि दुनिया में प्यार करने की चीज आदमी, औरत, बच्चे होते हैं या हथियार? वह बोलता रहा, 'तुम्हें अगर मेरे साथ रहना है तो मेरे इस प्रेम का हिस्सा बनना होगा'।" (पृ. 43) यहाँ उसके हिस्से का प्रेम राजनीति की अमानवीय अंतःप्रवाहमयता है जो कभी भी विनाशकारी प्रलय का रूप धारण कर सकती है।

मास्टरी में उसका मन नहीं लगता है। वह हथियारों के विचित्र संसार में भटकता है। उसकी कई संतानें होती हैं। वह अपना एक गुट बनाता है—हथियार प्रेमी लोगों की इकाई तैयार करता है; अलग से वह विपुल साम्राज्य तैयार करता है। बड़े होते हुए बेटों को ले जाते समय उसकी पत्नी याचना के स्वर में बेटों को न ले जाने का अनुरोध करती है। पर वह उसे अनसुना कर देता है और अपने साम्राज्य को मजबूत बनाने का प्रयत्न करता रहता है। वस्तुतः अमरी शक्तिशाली व्यक्ति के रूप में नहीं बल्कि प्रभुत्व से युक्त संस्था के रूप में बढ़ता है, विकसित होता है—"अमरी बीच-बीच में आता था और माँ की गोद में पलते अपने बच्चे को देख जाता था। जब आता तो ऐड़ी बजाकर सैल्यूट मारता और कहता दुनिया अपने नए नेता के लिए आँखें बिछाए बैठी है। जल्दी बड़े हो जाओ। वह अनोखा हथियार तुम्हारे लिए बन रहा है जो दुनिया का सबसे शक्तिशाली हथियार होगा। नई दुनिया का उदय तभी होगा जब तुम और वह हथियार मंच पर प्रकट होंगे। तू उसे सम्मानित करेगा। वह तेरी ताकत बनेगा। इस दुनिया के शीर्ष पर तुम दोनों ही स्थित होंगे।" (पृ. 63) कामना और इच्छाशक्ति का यह संकेत उपन्यास का प्रमुख प्रसंग है। वह कंस का व्यवहार करता है जो देवकी के पुत्रों को ले जाता है। लेकिन अमरी अपने

पुत्रों की हत्या नहीं करता। वह उन्हें पालता है। कंस की इच्छा-शक्ति सीमित है, अमरी की अति विपुल।

उपन्यास की वर्णन-शैली की विशेषता और पात्र-विशिष्टता का जो संकेत पहले दिया गया है वह दरअसल उपन्यास के प्रतीक विन्यास का आधारभूत तत्त्व है। अमरी हथियार प्रेमी व्यक्ति का प्रतीक बनकर उपन्यास में परिलक्षित है और उसका स्वरूप उपन्यास में हथियार प्रेमी साम्राज्यवादी राजनीतिक शक्ति का। उपन्यासकार ने निरंतर उसमें अजीब व्यवहार को जोड़ने का कार्य किया है परंतु यह भी ध्यातव्य है कि अमरी की शक्ति का एक सामान्य पक्ष ही इसमें ढीला पड़ा है। उसकी तबाही उपन्यास में अंकित नहीं है और वह नामुमकिन भी है। उसकी शक्ति कहीं बाधित हो सकती है, फिर भी वह अबाधित है। अमरी की कथा भी यह कहती है।

साम्राज्यवादी राजनीति के वर्चस्व की अमानवीयता और मानवीयता की आस्था के बीच यह मुठभेड़ हमेशा होती रहती है। यह एक बहुत बड़ा सच है कि गिरिराज किशोर ने अपनी उपन्यास-यात्रा के विभिन्न पड़ावों में राजनीति की वास्तविकता को, जो बाह्यतः सामान्य है, अंतरंगता में विकराल है, उसके तमाम रंगों और रूपों को एक साथ पहचाना है। 'असलाह' इस अर्थ में हथियार प्रेम का एक मामूली उपन्यास न होकर उपनिवेशवादी संस्कृति के पाशवीय मोह का गोपनीय दस्तावेज है। बहुसंख्यक उससे अनभिज्ञ हैं तो अल्पसंख्यक ही उससे परिचित हैं। परिचय और अपरिचय का यह सिलसिला हमारी राजनीति की निजी दुरूहता भी है।

नैतिक प्रतिमानों की गिरावट का अर्थ संकेत भी हथियार प्रेम में है। इससे आधुनिक राजनीति की साजिशों का पता चलता है। हथियार के उपयोग से हथियारों के प्रेम तक का यह सिलसिला काफी लंबा है। इस लंबी यात्रा के दौरान हमारे कई बहुमूल्य नैतिक दृष्टिकोण ध्वंस हो चुके हैं।

एक सवाल यह पैदा होता है कि हम किसके अधीन हैं और

हमारे अधीन कौन-कौन हैं। उपन्यास यह सिद्ध कर रहा है कि हम हथियार के अधीन हैं। हम साम्राज्यवादी शक्तियों के अधीन हैं। उसके प्रति अमरी का प्रेम हमारे साम्राज्यवादी प्रेम का द्योतक है या कम-से-कम समझौतावादी रवैये का द्योतक है। सही उपयोग से हथियार का नाता टूट चुका है। उसका अनवरत अनैतिक प्रयोग ही हो रहा है। अमरी अपनी पत्नी से अंतिम संतान को हड़प लेता है। लाख मिन्नतें करने पर भी वह उसे अपने गिरोह में ले चलता है—"बेटे ने पिता की तरफ देखा। पिता का चेहरा खिला हुआ था। जिसकी उसने कल्पना की थी वही होने जा रहा था। बिना पत्नी की तरफ देखे अमरी ने कहा, 'चलो, तुम्हारा कर्म-क्षेत्र तुम्हें बुला रहा है। इतने वर्षों तक माँ के संरक्षण में रहकर माँ के प्रति अपना कर्तव्य निबाह चुके, अब पिता के सेवा-जगत् में आओ। जगत् की सेवा ही ईश्वर की सेवा है। उसमें न प्रश्न हैं न उत्तर। लेकिन यह समझ लो कि सेवा के लिए भी मनुष्य को सामर्थ्यवान होना पड़ता है। ईश्वर हो या जगत्, माँ हो या पिता, समाज हो या देश, किसी की सेवा बिना शक्ति के संभव नहीं। शक्ति के प्रतीक हैं अस्त्र-शस्त्र, हथियार। निर्जीव होते हुए भी, जानदार को कई गुना करके लौटानेवाले हैं। यह सिद्धि है, यही उपलब्धि है—संसार का सर्वश्रेष्ठ और कालजयी शस्त्र तुम्हारी प्रतीक्षा कर रहा है। पहले तुम उसके संरक्षण में रहोगे फिर वह तुम्हारे संरक्षण में रहेगा। अंत में तुम दोनों एक ऐसे बिंदु पर आकर मिल जाओगे जहाँ तुममें और उसमें कोई अंतर नहीं रह जाएगा। वह तुम्हारे कर्म की प्रेरणा हो जाएगा। तुम उसकी सफलता के एकमात्र स्वामी बनकर इस जगत् पर छा जाओगे।' " (पृ. 87) अमरी का यह उपदेश शक्तिसंचय और शक्ति केंद्रीकरण का खुला एलान है। उपन्यास के इस प्रकरण तक आते-आते अमरी अपने व्यक्ति स्वत्व से अलग होता प्रतीत होता है।

अमरी का अंतिम बेटा उसे पूरी तरह मानता नहीं है। लेकिन अपनी संतानों के आगे अमरी भी झुकता नहीं है। दूसरी संतानों

को वह परास्त करता है। उन्हें वह निष्प्रभ कर देता है। बाप-बेटों का सामान्य दायरा यहाँ टूटता दिखाई देता है। ये संतान भी निरी संतान न होकर एक बड़े शक्तिशाली प्रभुत्व के अधीनस्थ छोटी-छोटी इकाइयों के प्रतीक हैं। वे अपने में विकास प्राप्त करना चाहते हैं। साम्राज्यवादी विस्तार का यह एक सहज और स्वाभाविक परिणाम है।

छोटा बेटा विद्रोह करता है। वह अपनी माँ की आवाज को ज्यादा महत्त्व देता है। यह प्रसंग यहाँ पर उपन्यासकार की अपनी कामना को द्योतित करता है, क्योंकि उत्तरोत्तर तबाही की ओर बढ़ती साम्राज्यवादी राजनीति की धुन के बीचोंबीच भी उम्मीद की रोशनी की बारीक रेखा तलाशने वाले उपन्यासकार की यह मानवीय दृष्टि भी है। वे निराशा के गर्त में अपने आपको अनुभव नहीं करना चाहते। उस गर्त में मुक्ति की कामना से वे आत्मीयता की तलाश करते हैं। यही नहीं, आशा की किरणों की खोज के रूप में यह प्रसंग उपन्यास के अंतिम प्रकरण में आया है। हम हथियारों के अधीन हो चुके हैं। उपन्यास के एक प्रसंग में अमरी अपने वैज्ञानिकों द्वारा एक अभूतपूर्व मशीन से परिचित होता है। मशीन के आकार से वह संतुष्ट नहीं है। परंतु जब वह उस लघु आकारवाले मशीन की ताकत से परिचित होता है तो वह रोमांचित हो उठता है—"वैज्ञानिकों ने बड़ी मुश्किल से उसे सँभाला। उनका कहना था कि आकार में यह जितना छोटा हो, विस्फोट की किरणों के साथ उसका ऐसा विकिरण होगा कि कोई भी इनसान या जीव ऐसा नहीं बचेगा जिसके शरीर पर तत्काल मौत का खाका न बन जाए और वह चंद दिनों में छटपटाकर प्राण न दे दे। वनस्पति, जल, वायु, प्रकाश ऐसा कोई नहीं बचेगा जो इसके प्रभाव से मुक्त हो। जहाँ-जहाँ इसके कण गिरेंगे वहीं-वहीं वे अपने से हजार गुना होकर प्रकट हो जाएँगे। वे ही लोग बचेंगे जो उन कणों से बचने के लिए सुरक्षा कवच पहने होंगे।" (पृ. 84) सुरक्षा कवच का डिजाइन और सूत्र तैयार कर लिया गया है। भूखण्ड को ध्वंसित करनेवाले

संयंत्रों के पीछे प्रौद्योगिकी के विकास की सूचनाएँ भर नहीं हैं बल्कि सत्ताकेंद्रित राजनीति का अदृश्य हाथ भी है। इतने पर भी गिरिराज किशोर ने उपन्यास के अंत में अमरी के बेटे के माध्यम से इस असलाह प्रेम के विरुद्ध बोलने का उपक्रम दिखाया है। अमरी अपने बेटों को नसीहत देता है—"मैं सोचता था कि तुम इनसान की सीमाओं से उठ चुके और एक ऐसे विकसित मनुष्य की श्रेणी में आ गए जो संकल्प-विकल्प की स्थिति से ऊपर उठा होता है। तुम्हारा आधार भावना नहीं विज्ञान है। द्वैतात्मक द्वंद्व पर विजय पाकर हथियारों की वास्तविकता पहचानने लगे हो। एकनिष्ठ जीवन में प्रवेश करके मुक्ति का रास्ता अपनाने के लिए उत्सुक हो। लेकिन ऐसा नहीं है। तुम एक आदमी और सामान्य हो। भावनाओं के पुतले।" (पृ. 98)

परंतु उससे भिन्न रास्ता अंतिम बेटा अपनाता है—"अमरी का छोटा बेटा पिता को रुद्र भाव में देखकर भी भय-मुक्त था। वह तभी अंदर से बाहर आया था। उसके हाथ झुलसे हुए थे। पर आँखों में चमक थी। वह बच्चों को खेलते देखकर निहाल हो रहा था। हरे-भरे खेत उसके अंदर लहरा रहे थे। पक्षी एक सिरे से उड़ते थे और दूसरे सिरे तक निर्द्वंद्व उड़ते चले जाते थे। आकाश पहले सूर्य की किरणों से चमचमाता रहा, अब तारों से जगमग कर रहा था। वह उन्हें देखकर उतना ही प्रसन्न जितना उसके कारनामे सुनकर उसकी माँ प्रसन्न होनेवाली थी।" (पृ. 120) उसे अमरी के रुद्र भाव में भयमुक्त दिखाकर उपन्यासकार ने हथियार प्रेम में निहित सत्तावादी दृष्टि को अपना सख्त विरोध दर्शाया है। हथियारों से अलग दुनिया से आकृष्ट दिखाकर गिरिराज किशोर ने मानवीयता के स्पर्श को भाँपना चाहा है।

प्रस्तुत उपन्यास लघु कहानियों के संकलन के रूप में विन्यसित है, प्रत्येक घटना, स्वभाव विशेष अलग-अलग शीर्षक में है। फिर भी प्रस्तुत रचना का भीतरी ढाँचा बँटा हुआ नहीं है, बल्कि अति विस्तृत है, एतदर्थ औपन्यासिक है। शीर्षक विधान एक सामान्य प्रयोग

की सीमा का उल्लंघन नहीं कर रहा है। लेकिन उपन्यास की जीवनीपरकता प्रयोग को बढ़ावा देने के हेतु नहीं है। अमरी की जीवन गाथा के समानांतर विकसित होनेवाली सत्ताश्रित राजनीति का इतिहास ही हमें जीवनीनुमा कथा से प्राप्त होता है। संभवतः यही उपन्यास की संवेदनात्मक सार्थकता है।

जीवन यथार्थ की तात्कालिकता से प्रेरित होकर लिखे जानेवाले उपन्यासों की तुलना में 'असलाह' अपने लघुतम कलेवर में बृहत्तर संसार की आंतरिकताओं को समेटता है। यही नहीं कि प्रस्तुत उपन्यास वैश्विक संकट की भीषण अवस्था की तरफ एक रचनात्मक संकेत है। राजनीतिक विडंबना का प्रायः सरलीकरण उपन्यासों में होता है जो हिंदी की अप्रीतिकर स्थिति है। गिरिराज किशोर ने 'असलाह' को तात्कालिकता के हल्केपन से अलग रखा है जो विषय की गंभीरता के अनुरूप ही है।

प्रौद्योगिकी की गतिहीनता के सवाल

•

डॉ. विजयकुमार

एक सजग सर्जक को विषय की कमी महसूस नहीं होती। समकालीन हिंदी के बहुमुखी साहित्यिक गिरिराज किशोर के संदर्भ में यह बात काफी समीचीन है। उनका लघु उपन्यास 'अंतर्ध्वंस' इस बात की सार्थकता को रेखांकित करता है। अपने छोटे कलेवर में यह कृति एक लंबी कहानी-सी ही जान पड़ती है, तथापि इसके वस्तु पक्ष की गहनता के कारण उपन्यास के विस्तृत फलक के अभाव में भी इसे औपन्यासिक आयाम प्राप्त हुआ है। यदि यह लघु उपन्यास अनायास पाठक के मन और मस्तिष्क को आकर्षित करता है, तो बेशक इसमें उठाई गई समस्या की अनन्यता और नवीनता के कारण। विज्ञान व प्रौद्योगिकी के क्षेत्र में दिन-ब-दिन नया कदम रखनेवाले आज के संसार की अजनबी होती जा रही मानवीयता ही इस उपन्यास की धुरी है। दुनिया के दूसरे विकसित देशों की अपेक्षा भारत जैसे विकासशील देश में यह विशेषता खतरनाक ढंग से बढ़ रही है। विज्ञान व प्रौद्योगिकी के क्षेत्र में कुशल देशी स्नातकों का अमेरिका, जर्मनी जैसे विकसित देशों में निर्यात आजकल मामूली घटना बन चुका है। ऐसे स्नातकों का विदेश में जिस प्रकार बुरी तरह फायदा उठाया जाता है, जिसके परिणामस्वरूप अपनी भूमि और परिवार से ये कैसे आत्मीय और भौतिक दोनों प्रकार से उखड़ जाते हैं, इसका विकराल स्वरूप प्रस्तुत उपन्यास की वस्तुस्थिति है।

उपरोक्त समस्या को उजागर करने के लिए गिरिराज किशोर ने बहुत कम साधनों को अपनाया है। उपन्यास का केंद्र पात्र दीपक एक देशी स्नातक है, जो पोस्ट डॉक्टरल फैलोशिप लेकर अमेरिका में रिसर्च के लिए जाता है। अमेरिका में मशहूर वैज्ञानिक प्रो. सू के निर्देशन में अपने अनुसंधान के पूरा होने तक वहीं रहने का बंध-पत्र उसे देना पड़ता है। दीपक जैसे नवयुवक के लिए यह कार्य लगभग असंभव लगता है। क्योंकि वह तन-तन से अपने देश और परिवार से ही जुड़ा हुआ है। शुरू में इस आत्मीयता की वजह से दीपक थोड़ा भावुक भी हो जाता है। लेकिन दीपक को परिस्थितियों की माँग के कारण विदेश जाना ही पड़ता है। वह अपनी मिट्टी से उखड़ ही जाता है। उनमें परिवर्तन आते हैं, जिसका संकेत इस कथन में व्यक्त है—"हमारी धरती मूलतः भावुकता-प्रधान है। वहाँ रहते हुए हम अपने लिए बेबुनियाद मूल्यों का निर्माण कर लेते हैं और उन्हें ही अपने जीवन का निचोड़ समझते हैं।...हमें देश, धरती, माता-पिता, बच्चे, पेड़, नदियाँ, पहाड़ आदि सब ऐसे लगते हैं जैसे अपने यहाँ के अलावा कहीं हैं ही नहीं। जब कि सब देशों के पास हैं। पर वे उनके लिए मूल्य नहीं, प्रयोग हैं। फिर भी मैं उन्हें नहीं रोकूँगा।" ('अंतर्ध्वंस', पृ. 87) संपूर्ण उपन्यास में दीपक की मानसिकता की इस विकृत परिणति की त्रासदी को अवतरित करके लेखक ने पाठक के सामने एक प्रासंगिक समस्या को प्रस्तुत किया है।

विज्ञान के दो पक्ष हैं—उसकी रचनात्मकता और ध्वंसात्मकता। विज्ञान के इन दोनों पहलुओं से मानव-जाति काफी परिचित हो चुकी है। 'अंतर्ध्वंस' में लेखक विज्ञान के एक ऐसे विनाशकारी पक्ष से हमारा परिचय कराता है, जो निश्चय ही महत्त्वपूर्ण है। वह विज्ञान का बाहरी विनाशकारी पक्ष नहीं है, बल्कि अंदरूनी है। लेखक के अनुसार विज्ञान व प्रौद्योगिकी के क्षेत्र में रचनात्मकता धीरे-धीरे लुप्त होती जा रही है, फलतः मानवता के प्रति विज्ञान की प्रतिबद्ध दृष्टि कमजोर पड़ने लगती है। इस सिलसिले में

उपन्यासकार आजकल के नौजवान वैज्ञानिकों के सामने जो सवाल पेश करता है वह यों है जो सर्वथा प्रासंगिक है—"क्या इन नौजवानों को कभी रचनात्मकता की जरूरत महसूस होगी?...ये सब ऐसा क्यों मानते हैं कि विज्ञान व प्रौद्योगिकी की कोई राष्ट्रीयता या समाज नहीं होते? वे महाशक्तियों के महाशक्ति बने रहने की जरूरत से उपजे विज्ञान और प्रौद्योगिकी को इतना अपना क्यों मानते हैं? क्या इनकी अपनी जरूरत नहीं? और है तो वे क्यों नहीं अपनी जरूरत के हिसाब से विज्ञान और प्रौद्योगिकी का विकास करते? शायद रचनात्मक सोच की कमी के कारण!" (पृ. 66-67) विज्ञान व प्रौद्योगिकी के क्षेत्र में अकसर देखा जा रहा है कि वैज्ञानिक अनुसंधाताओं की कोशिश मनुष्य की सीमाओं को पार करके 'अतिमानवत्व' को अपनाना हैं। उनकी प्रयोगशालाओं में तत्संबंधी कार्यक्रम ही जारी है। यहाँ चौंकानेवाली एक और बात हमारे सामने उपस्थित होती है कि जैसे-जैसे ये वैज्ञानिक 'अतिमानव' की परिकल्पना को यथार्थ के निकट लाते रहते हैं, वैसे-वैसे उनके अंदर से मानवीयता भी दूर होती जा रही है। दूसरे शब्दों में कहें तो अपने में स्थित 'मनुष्य' को खोकर ही वे 'अतिमानव' को पाते हैं। उपन्यास में दीपक भी इस प्रकार अतिमानव तक पहुँचने में कामयाब हो जाता है, लेकिन इसके मूल्य के रूप में उसे अपने देश, परिवार और स्वयं अपने को भी कुरबान करना पड़ता है। अतिमानव की फैंटेसी ने दीपक के मन के प्रायः सभी संवेदनात्मक पहलुओं को समाप्त कर दिया। विदेश जाने के पहले अपने परिवार और बीमार बच्चे की चिंता उसे अपने देश में ही रहने के लिए विवश कर देती है। परंतु बाद में अपने बच्चे की बीमारी एकदम नाजुक होते देखकर भी उसके मन में आर्द्रता झलकती नहीं है। उपन्यास के 'मैं' का संवेदनशील मन दीपक से यह सवाल करता है कि "इन सफलताओं के बावजूद क्या अपने निर्दोष बच्चे के लिए कुछ करने की बात तुम्हें कभी नहीं सूझती है?" (पृ. 83) दीपक के अंदर का वैज्ञानिक इसका बेझिझक जवाब देता है कि "मैं उसके लिए सब कुछ कर

रहा हूँ। इलाज, शिक्षा, परवरिश...मैंने कहाँ कोताही की! बस फर्क इतना ही है कि मैं खुदा नहीं हूँ। अगर वह यहाँ नहीं रह सकता तो वापस लौट जाए। लेकिन मुझे मुक्त कर दे। वह मेरा बेटा है तो क्या इसका मतलब यह है कि मैं केवल उसी का होकर रहूँ?" (पृ. 135) एक महत्त्वाकांक्षी वैज्ञानिक के व्यक्तित्व से लगातार अलग होती जा रही रचनात्मकता का स्पष्ट संकेत दीपक के उपरोक्त कथन में मिलता है। वैज्ञानिक उन्नति की प्रबल इच्छा के तहत टूटती-बिखरती मानवता के संदर्भ में लेखक ने रचनात्मकता की जरूरत का जो सवाल उठाया है, वह प्रासंगिक है। उपन्यास में 'मैं' के माध्यम से शायद उपन्यासकार ही अपना ठोस विचार पाठकों के सम्मुख पेश करता है—"मैं हमेशा यही मानता रहा था कि वैज्ञानिक हो या लेखक दोनों को एक ही प्रकार की रचनात्मकता की जरूरत होती है।...परंतु अब ऐसा नहीं है। अब शायद विज्ञान रचनात्मकता से ज्यादा प्रौद्योगिकी से पहचाना जाने लगा। यानी प्रतिफल से। उसकी अंतःप्रक्रिया सरस्वती की तरह लुप्त हो गई थी।" (पृ. 88) 'मैं' एक सृजनशील कलाकार है सिर्फ इसलिए उसकी दृष्टि को वैज्ञानिक दृष्टि से अलग बनाकर इकहरी घोषित करना संगत नहीं होगा। क्योंकि कुछ गहरे उतरकर देखें तो विज्ञान और साहित्य दोनों का सच एक ही मूल भावना पर केंद्रित है, वही है परिकल्पना—"तुम कहोगे कि तुम लेखक हो तुम क्या जानो विज्ञान। लेखक दूसरी तरह का वैज्ञानिक होता है, जो नहीं भी होता उसकी भी परिकल्पना से उत्पत्ति कर लेता है। कभी-न-कभी वह परिकल्पना सत्य जरूर होती है। मार्क्स को ही लो। न सही पूरी तरह...आंशिक रूप से तो फलीभूत हुई ही। मुझे तो लगता है कि महाभारत ने भी जितना इनसान को पढ़ा और चित्रित किया, इससे बाहर इनसान नहीं है।" (पृ. 109-110) यों गिरिराज किशोर ने विज्ञान व प्रौद्योगिकी के संदर्भ में रचनात्मकता से संबद्ध विचारों को सकारात्मक ढंग से प्रस्तुत किया है।

यद्यपि 'अंतर्ध्वंस' में सबसे मुख्य समस्या विज्ञान व प्रौद्योगिकी

के संदर्भ में मानवीयता का ह्रास और 'मानव' के स्थान पर 'अतिमानव' या 'शैतान' का स्थानांतरण है, तथापि इससे जुड़ी कुछ दूसरी विडंबनाएँ भी उल्लेखनीय हैं। ये सार्वदेशिक उतनी नहीं, परंतु भारत की मिट्टी से अधिक संबंधित हैं। उनमें से प्रमुख हैं, भारत के देशी स्नातकों का दूसरे विकसित देशों में निर्यात की विडंबना। इन देशी स्नातकों को विदेश के अनुसंधान की मरीचिका के कारण अकसर दोहरी विडंबना का शिकार बनना पड़ता है। प्रथमतः एक भारतीय के रूप में उनकी अस्मिता ही टूट जाती है, अलावा इसके विदेश में उनके श्रम और अनुभव का बुरी तरह फायदा भी उठाया जाता है। उपन्यास में दीपक सुनहली आकांक्षाएँ साधे अमेरिका में अनुसंधान-कार्य के लिए जाता है। लेकिन वहाँ वैज्ञानिक दुनिया के जिस कटु यथार्थ से उसका परिचय होता है, वह आतंक-भरा एवं विडंबनापूर्ण है। दीपक का निदेशक प्रो. सू अपनी कूटनीति को साफ स्पष्ट करते हुए कहता है, "देखो, विज्ञान का सिद्धांत है अगर कोई उपकरण जरूरी होता है तो उसे या तो फैब्रिकेट किया जाता है या फिर किसी भी मूल्य पर उपलब्ध किया जाता है। हम वही कर रहे हैं, जो हमें करना चाहिए। हमारी राष्ट्रभक्ति तुम्हारी राष्ट्रभक्ति से ज्यादा मजबूत है, क्योंकि हम उसे सिद्ध करने की स्थिति में हैं।" (पृ. 42) शुरू में दीपक को प्रो. सू के इस कथन में निहित दंश का सही आभास नहीं मिलता, शायद इसलिए ही वह प्रो. सू के साथ मिलकर अनुसंधान कार्य को जारी रखता है और अंत में अपने जीवन की कुर्बानी देकर प्रो. सू को सफलता भी प्रदान कराता है। दरअसल दीपक धीरे-धीरे अमेरिकन बनता जा रहा था। अपने अंदर में होनेवाले इस भीषण परिणाम से खुद दीपक वाकिफ है, पर वह स्थानांतरण की प्रक्रिया, इतनी तेज एवं प्रभावशाली थी कि सिर्फ उसे महसूस करना ही उससे होता है, रोकने में वह पूर्णतः नाकामयाब हो जाता है। अपनी विवशता को 'मैं' को लिखी एक चिट्ठी में वह यों व्यक्त कर देता है—"अब मुझे याद नहीं रहा कि पहले मैं क्या-क्या सोचा करता था। अब

मैं सिर्फ उसी जीव के बारे में सोच सकता हूँ जिसकी परिकल्पना प्रोफेसर सू ने मेरे मस्तिष्क में भर दी है।...तुम लोग जल्दी आ जाओ। अगर मेरे अंदर वह प्राणी भी उत्पन्न हो गया, जो कुछ भी कर सकता है, तो मैं तुम लोगों को भी भूल जाऊँगा।" (पृ. 42-43) यह हालत एकदम विडंबनात्मक है कि चेतना में अपनी अस्मिता की बरबादी साफ-साफ प्रतिबिंबित देखते हुए भी उससे बच न पाना। वैज्ञानिक निर्ममता की इस विदेशी मानसिकता का विकराल रूप उपन्यास के अंत में प्रो. सू की इस टिप्पणी में है जहाँ वह अपने अनुसंधान की सफलता पर स्वयं मुग्ध है, जबकि उसकी सफलता के लिए दीपक जैसे नवयुवक वैज्ञानिक की जिंदगी की जो बरबादी हुई, उसमें उसकी तनिक भी संवेदना नहीं है—"थैंक्यू मैन मो न...हम सफल हो गए...बीस्ट इज़ आउट आफ लैब। दीपक हैज़ प्रूव्ड टु बी ए गुड मीडियम...आई थैंक्यू फार दिस।" (पृ. 144) प्रो. सू के इस कथन में जो चौंकानेवाला यथार्थ है, वह 'अंतर्ध्वंस' में एक रचनात्मक फैंटेसी जैसा तो लगता है, पर इस रचना के बाहर उस फैंटसीनुमा यथार्थ के कई पहलुओं से भारतीय वैज्ञानिकों का सामना होता है, जो अनुसंधानात्मक कार्य के लिए विदेश जाते हैं।

गिरिराज किशोर ने किस्सागोई की शैली उपन्यास के लिए अपनाई है। उपन्यासकार ने जो पत्रात्मक रचनारीति अपनाई है, वह रोचक एवं कथ्यानुकूल है। इसमें तरह-तरह के पत्रों के सहारे पाठक प्रमुख पात्रों की मानसिकता के सूक्ष्मतम पहलुओं में भी झाँक सकते हैं और किस्सागोई के कारण जो अतिव्याप्ति शैली में आई है, वह भी एक हद तक कम हो गई है। उपन्यास में सांकेतिक शैली के कुछ पहलू भी हैं, जो द्रष्टव्य हैं। दीपक की रुग्ण संतान की प्रतिपल बिगड़ती हालत तथा उसके प्रति दीपक की दृष्टि में आनेवाला बदलाव और विज्ञान व प्रौद्योगिकी के क्षेत्र में भारत की दशा एवं दीपक जैसे निर्यातित युवा वैज्ञानिक की उसके प्रति प्रतिक्रिया दो समानांतर स्थितियों के रूप में उपन्यास में आदि से अंत तक बनी रहती

है, जो सांकेतिकता का एक ठोस उदाहरण है। उपन्यास का सबसे सार्थक एवं सफल प्रतीक दीपक को नष्टभ्रष्ट करके उसके अंदर से फूट निकलनेवाले अतिमानव की परिकल्पना है। इस प्रतीक के माध्यम से लेखक ने सफलतापूर्वक दिखाया है कि अतिमानवत्व तक पहुँचने की छटपटाहट वैज्ञानिकों में, खासकर विकसित राष्ट्रों के वैज्ञानिकों में कितनी गहरी है, साथ ही यह भी कि उस छटपटाहट में दम घोंटती मानवीयता की हालत कितनी नाजुक है।

'अंतर्ध्वंस' हमारे भीतर की टूटन की कथा है। इसे मूल्य-विघटन कहा जाता सकता है। इसमें निहित मानवीय संकट का स्वरूप प्रायः अस्पष्ट ही रहता है। अतः पूरा समाज उसके गर्त में पड़ता ही जाता है। वैज्ञानिक क्षेत्र की यह त्रासदी क्या हमारे जीवन की त्रासदी नहीं है? इसे पहचानने से हम कब तक कतराते रहेंगे?

यांत्रिकी संस्कृति बनाम मानवीय अस्तित्व का संकट

•

शांती नायर

समकालीन जीवन और परिवेश सामान्य कहलानेवाली स्थितियों से कहीं बहुत दूर प्रतिस्थापित दीख पड़ने लगा है। जटिल एवं अपरिभाष्य परिवेश हमारे जीवन का सत्य बनता गया है। हम प्रगति की ओर अग्रसर होने का दावा तो कर रहे हैं। शिक्षा, विज्ञान, प्रौद्योगिकी, यांत्रिकी के क्षेत्र में अग्रणी बन पाने के प्रयास भी निरन्तर हो रहे है, किंतु इन तमाम प्रयासों के बाद भी जीवन के दृश्य-पट को सुहाना या मनमोहक बनाये रखना कदाचित् संभव नहीं हो पा रहा है। आंशिक सत्य और दूसरी ओर असंख्य त्रुटियाँ हैं, और इनके बीच लगातार लुढ़कते रहने वाले मानव-जीवन की शक्ल बेडौल-सी हो गयी है। मानव-जीवन का यही बेडौलपन संभवतः हर क्षेत्र में आज दिखाई दे रहा है।

समकालीन युग को जहाँ 'यंत्र युग' की संज्ञा दी जाती है वहीं पर-मनुष्य की संवेदना में घर कर गयी यांत्रिकता भी नजरंदाज नहीं की जा सकती है। संवेदना की यांत्रिकता का यह पहलू ही अपेक्षाकृत अधिक खौफनाक प्रतीत होता है।

सर्वग्रासी यांत्रिकता ने मनुष्य के सामने असंख्य और अचिंत्य संभावनाओं के द्वार तो खोल दिए हैं किंतु साथ-साथ अनेक खतरों

के द्वार भी खुलते गए हैं। गौर से देखा जाय तो पूँजीवादी एवं साम्यवादी समाज की बुनियादी समानता में भी यांत्रिकी का आधार दीख पड़ता है। इस बात में कोई संदेह नहीं कि प्रकृति पर विजय पाने में यांत्रिकी ने मनुष्य की सहायता की। सुख एवं समृद्धि की ओर बढ़ती सभ्यता के विकास में भी यांत्रिकी सहायक रही है। किंतु संघर्ष का वास्तविक बिंदु तो यह है कि यांत्रिकी आखिर किसके लिए है? यह श्रमजीवियों हेतु है अथवा परजीवियों के लिए है। यहीं पर यांत्रिकी की खौफनाक संभावनाएँ तीक्ष्णता के साथ उभरती हैं। यंत्र जहाँ एक दैत्य की भाँति अनेकों काम अपने आप कर लेता है वहीं अनेकों श्रमजीवियों को बेकार भी कर देता है। यांत्रिकी के समक्ष जहाँ प्रकृति शोषित होती है वहीं मानव भी कल-पुर्जे या यंत्र के रूप में परिवर्तित होता प्रतीत होता है।

दूसरी ओर राजनीति भी अनेक क्षेत्रों में व्याप्त होकर असंख्य रूप धारण करती दीख पड़ती है। राजनीति के ये रूप उत्तरोत्तर काल में कई गुना शक्तिशाली होते दीख पड़ते हैं। इतिहास के पृष्ठ भी इस बात के साक्षी हैं कि राजनीति के ये सभी रूप कहीं-न-कहीं, किसी न किसी प्रकार पूँजीवाद से अपना गठबंधन बनाए रखते रहे हैं और उसे बनाए रखने के लिए परस्पर आश्रित भी रहे हैं। अतः राजनीति की चालों और स्वार्थों के पीछे पूँजीवाद के स्वार्थों का पाया जाना भी सहज एवं स्वाभाविक ही है। यांत्रिकी का क्षेत्र भी इन सभी तौर-तरीकों से अछूता नहीं है। यंत्र और यंत्र पर काम करनेवाले मनुष्य दोनों पर नियंत्रण है। यह नियंत्रण उपनिवेशवादी और साम्राज्यवादी राजनीति का अपना रवैया है। राजनीति और पूँजीवाद की मिलीभगत यहाँ इतनी सशक्त एवं विकृत भी है कि मानवीयता का कोई भी पहलू उसके समक्ष कोई मायने नहीं रखता है।

गिरिराज किशोर का उपन्यास 'इंद्र सुनें' यांत्रिकी पर पूँजीपतियों एवं राजनीतिज्ञों के आधिपत्य और श्रमजीवियों की विडंबना को अभिव्यंजित करनेवाला है। गाँव की धरती को कारखाना बनाने

के लिए शहरी लोगों द्वारा हड़प लिये जाने तथा गाँव का शहरीकरण किए जाने की प्रक्रिया को फैंटेसी के माध्यम से प्रस्तुत किया गया है। गाँव के लोगों की जमीन को छल-प्रपंच के माध्यम से हड़प लिया जाता है और उसमें देवलोक की स्थापना की जाती है। देवलोक के चारों ओर ऊँची चहारदीवारी खड़ी कर दी जाती है जिसके भीतर मृत्युलोकवासियों का प्रवेश निषिद्ध है। बैलों की घंटियों के स्थान पर अब गाँवों में देवलोक की मशीनों का शोर सुनाई देता है। गाँव की मिट्टी पर रहनेवाले मनुष्य जो कभी अपनी एक टुकड़ा जमीन के लिए मर मिटते थे वही अब कारखानों पर मशीनों से जूझते हैं किंतु देवलोक में उनका प्रवेश निषिद्ध है जो उस धरती के मालिक रहे—

"उन्होंने जानना चाहा 'क्या हम भी इनके साथ (अपने होनहार नौजवान बेटों के साथ) देवलोक में रह सकते हैं?' इस सवाल के साथ जैसे वहाँ भूचाल-सा आ गया। आसनों पर विराज रहे उन देवताओं की भृकुटियाँ तन गईं। वहीं बैठे-बैठे वे चक्री की तरह घूमने लगे। उनका यह रूप देखकर वे वहाँ से चुपचाप खिसकने लगे। उन्हें आकाशवाणीनुमा आवाज सुनाई पड़ी, 'तुम्हारा जीवन निर्वाह होता रहेगा, पर ये तुम्हें भूल जाएँगे।' " (पृ. 48)

देवलोकवासी ही अब मालिक हैं। जमीन के असली हकदार किसानों के बेटों का स्थान अब तथाकथित देवलोकवासी देवताओं के चरणों में हो जाता है। वे जैसा चाहें उस आकृति में इन नौजवानों को ढाल सकते हैं। क्योंकि सवाल इन लोगों के सामने पेट का हो जाता है। किसी छोटी-सी बात पर इनको देवलोक से निकाल देने की धमकी देकर इन्हें वश में किया जाता है। वे इन देवताओं के सामने गिड़गिड़ाने को बाध्य हैं। देवलोक की चहारदीवारी के भीतर अनेक कष्टों को झेलते हुए भी वे उसे छोड़कर बाहर न आ सकने के लिए भी मजबूर हैं। वे गिड़गिड़ाते हैं, उन गलतियों के लिए माफी माँगते है जो इनकी नहीं—" 'हमें इस देवलोक से

बाहर मत धकेलिए। हमारी खोपड़ियाँ पिचकी जा रही हैं, पेटों में शूल उठ रहा है।' इतना कहकर वे धरती पर लोटने लगे। एक हाथ से सिर पकड़े दूसरे हाथ से पेट सहलाते जा रहे थे। कहते जा रहे थे, 'हम पेट पर आपकी लात की मार को सहन नहीं कर पाएँगे।' " (पृ. 55)

वर्गों के विभेद वास्तव में पूँजीवादी व्यवस्था की ही देन है। यांत्रिकी का आगमन भी वर्ग विभेद की इस व्यवस्था को और अधिक पुष्ट करता है। 'इन्द्र सुनें' में कारखाना (देवलोक) की स्थापना की प्रक्रिया के दौरान मृत्युलोकवासी और देवलोकवासी का वर्ग विभेद स्पष्ट दीख पड़ता है। यही नहीं दोनों के बीच की विभाजक रेखा भी अत्यधिक बलवती होती दीख पड़ती है। गाँव की धरती पर देवलोक बनाने की परिकल्पना है। यह श्रमजीवियों की धरती पर पूँजीपतियों का साम्राज्य स्थापित करने की कुटिल प्रक्रिया है। तथाकथित 'देवलोक' में कारखानों के मालिक हैं, पूँजीपति हैं, इनसे संबंधित राजनीतिक नेता हैं। इन सभी का मिलाजुला लोक ही देवलोक है। इस लोक के निवासियों द्वारा श्रमजीवियों की मेहनत और उनकी भावना दोनों का शोषण होता है। मशीनों को चलानेवाले किसानों के बेटे हैं परंतु वे भी मात्र कलपुर्जे हैं जिन पर पूँजीपतियों एवं संबद्ध राजनीतिज्ञों का नियंत्रण हमेशा बरकरार है। इनकी अनेक चालें हैं जरा-सी हुकुमउदूली के एहसास पर ही वे उन्हें नियंत्रित करने लगते हैं—

"उनका यह कहना था कि उन नौजवानों की खोपड़ियों में भीषण दर्द उठने लगा। बढ़े हुए पेटों में बेलन से घूमने लगे। खोपड़ियाँ फिर से पिचकनी शुरू हो गईं। वे लोग घुटनों के बल बैठकर बोले, 'नहीं श्रीमान् आप ऐसा न सोचें। हम तो आपकी सेवा के लिए प्रतिबद्ध हैं।' " (पृ. 54) इन श्रमजीवियों की मेहनत पर परजीवियों की तरह जीते रहने पर भी यह वर्ग इन्हें सदा इस भ्रम में बनाए रखता है कि वे ही इनका पेट पाल रहे हैं।

पूँजीवादी व्यवस्था ने अपने स्वार्थ लाभ के लिए मनुष्य एवं

मनुष्य में विभेद पैदा किया। वर्गों का निर्माण किया और हर कदम पर आदमियों को विभाजित किया। इसी पूँजीवादी व्यवस्था के साथ यांत्रिकी जब अंतरंग रूप से जुड़ती है तो आम कहा जानेवाला आदमी या श्रमजीवी वर्ग ही व्यवस्था के तले निरंतर कुचला जा रहा है। 'इंद्र सुनें' में हम देखते हैं कि कुछ खास लोग देवलोक के सर्वेसर्वा हो गए हैं और निम्न स्तर के लोग लगातार उनकी ठोकरें खाने की नियति के शिकार हैं। शहराती इन दोनों वर्गों के बीच का बिचौलिया है जिसके माध्यम से सारे छल-कपट का खाका खींचा जाता है—

"शहराती ने कहा, 'अगर आप लोगों की परछाईं तक कभी इस लोक पर पड़ी तो आपके इन लड़कों के पेट सटक जाएँगे। इनके सिर लटक जाएँगे। बाजू झूलने लगेंगे। और फिर कभी आप इन्हें नहीं देख पाएँगे। ये लोग इनसान की तरह कमा कर खाने के स्थान पर जानवरों की तरह चोरी करके खाएँगे।'

देवता लोगों के संकेत पर शहराती द्वारा दिया गया यह शाप सुनकर गाँववालों की आँखें पथरा गईं। केवल उनकी भय विस्फारित आँखें हिलती नजर आ रही थी। उन आँखों में अंदर उठते हुए तूफान का संकेत था।...धीरे-धीरे आँखों में भी ठहराव आता जा रहा था।" (पृ. 56) सामान्य स्थितियों में जीनेवाले मनुष्य की आत्मा का दमन अन्याय और अत्याचार के द्वारा होता है। वह स्वयं शोषण के दुरूह चक्रव्यूह में निरंतर फँसता चला जाता है।

नए-नए जनवादी नारों के बावजूद भी यांत्रिकी पर जनाधिकार की स्थापना न हो सकी और पूँजीवादी पर्ग लगातार लाभान्वित होता गया। समृद्ध वर्ग ने संभवतः भोगवादी संस्कृति का प्रचार ही किया। 'इंद्र सुनें' में किसान अब अपनी धरती पर फैलते जा रहे शहर को देख रहे हैं। क्योंकि खेत अब रहे ही नहीं, इस कारण न तो हल-बैलों का कोई महत्त्व रहा और न ही उसमें काम करनेवाले मनुष्यों का। इन किसानों के जवान बेटे अब मशीनों पर अपना खून-पसीना एक कर रहे हैं। इस प्रकार यांत्रिकी सभ्यता और विकास

के नाम पर गाँव मर रहा है। गाँव की मृत्यु यहाँ पर संवेदना की मृत्यु है। खेतों को चहारदीवारी में कैद कर दिया जाता है। "कई बार वे लोग (गाँव वाले) खेतों पर जमी मिट्टी हटाने बैठ जाते थे। पर दीवार के उठते ही खेतों से उनका नाता टूट गया था। दीवार के बाहर खड़े हुए उन्हें महसूस हुआ कि खेतों को आजीवन कारावास में डाल दिया गया है। अब वे कभी नहीं निकल पाएँगे।" (पृ. 50) वास्तव में यहाँ खेतों का कारावास में डाल दिया जाना मनुष्यता को कारावास में डाल दिया जाना है। गाँव के मरते जाने का अर्थ लोगों के भीतर इनसानियत की मौत है। सत्य, प्रेम, श्रद्धा आदि मानवीय मूल्यों की मौत है।

यांत्रिकी द्वारा सर्वनाश की प्रक्रिया दीर्घ है। यांत्रिकी का आविष्कार बुद्धि के द्वारा होता है। परंतु इसके प्रयोग का अधिकार व्यवस्था के संचालकों के द्वारा होता है। संचालक यदि सही अर्थों में मनुष्य है तो यांत्रिकी के सर्वनाश से मुक्त हुआ जा सकता है। परंतु मानवात्मा के अभाव में वे अपने अहम् द्वारा उसका सर्वनाश कर बैठते हैं।

विज्ञान और तकनीकी के बढ़ते कदमों से हम विकासशील एवं विकसित होने का दावा तो करते हैं किंतु विज्ञान हो या तकनीकी—ये किसके लिए हैं यह प्रश्नचिह्न संवेदनशील व्यक्ति के लिए बहुत अधिक महत्त्व रखता है। समृद्ध समाज में भी युवक आज प्रगति शब्द को कोई तरजीह नहीं देते हैं। इसका कारण भी संभवतः यही है कि भौतिक प्रगति अर्थात् यांत्रिक प्रगति से मानव चेतना का गुणात्मक ह्रास होता है। एक भावनाहीन स्वार्थग्रस्त, दक्ष वस्तुओं का गुलाम आदमी पैदा होता है। वह होड़ में जीता और मरता है। मनुष्य का अंतःकरण यहाँ कुण्ठित और भूखा रह जाता है और अशोधित भी।

मानव की नियति और अधोगति का चित्रण ही 'इंद्र सुनें' में हुआ है। लेखक यंत्र के संदर्भ में आदमी की खोज करता है। यांत्रिकी के विकास और उसके परिणामों पर विचार करते हुए उसके केंद्र

में स्थित मनुष्य की चिंता यहाँ बलवती हो जाती है। तमाम स्थितियों की तहों में उतरते हुए जहाँ मानव अस्तित्व और उसकी रक्षा का विचार उठता है वहीं लेखकीय दृष्टि की समकालीनता भी स्पष्ट उभरती है।

नारी मुक्ति का प्रामाणिक स्वर–तीसरी सत्ता

डॉ. रवि

'तीसरी सत्ता' स्त्री-पुरुष संबंध पर आधारित उपन्यास है। समाज के विभिन्न पहलुओं को छूने के बावजूद प्रस्तुत उपन्यास परिवार पर टिकता है। अक्सर लघु परिवार का आधार पति-पत्नी संबंध है। पति-पत्नी संबंधी पारंपरिक एवं नयी मान्यताओं की टकराहट इस उपन्यास में अथ से इति तक विद्यमान है। उपन्यास में नारी की व्यक्तिगत स्वतंत्रता पर अधिक जोर दिया गया है। नारी के व्यक्तिगत स्वातंत्र्य और पारंपरिक पुरुष-दृष्टि के संघर्ष के अन्त में नारी अपने में निहित ममता और प्रेम के कारण सिर झुका लेती है। यह स्वीकृति पराजय को व्यक्त नहीं करती है बल्कि अपने में निहित मातृत्व की महिमा को व्यक्त करती है। इसलिए यह उपन्यास वर्तमान की नारी के स्वातंत्र्य को अभिव्यक्ति देता है। इसके अलावा यह उपन्यास निम्नवर्गीय वफादारी, मध्यवर्गीय चालाकी, बालमनोविज्ञान आदि मुद्दों पर भी प्रकाश डालता है।

बदलती जीवन-परिस्थितियाँ, नयी मूल्य-दृष्टि और नैतिक बदलाव का दबाव मनुष्य के आत्मिक, पारिवारिक एवं सामाजिक संबंधों पर पड़ता है। अतएव मानवीय रिश्तों का पारंपरिक रूप बदलने लगता है। संयुक्त परिवार पहले ही टूट चुका है। रोजी-रोटी की तलाश में परिवार के सदस्य तितर-बितर होते गये हैं। उन्होंने छोटी-छोटी इकाइयों में अपने को सीमित कर दिया है। स्त्रियाँ भी

रोजगार करने लगीं। शिक्षित एवं रोजगार स्त्री स्वावलंबी होने लगी। आर्थिक स्वतंत्रता स्त्री की व्यक्तिगत स्वतंत्र-चेतना को मजबूत करती है। परिवार सँभालने के लिए स्त्री का योगदान अनिवार्य-सा हो गया है। पर पुरुष का अहं इसमें बाधा बन जाता है। सामाजिक बदलाव के समानांतर विकसित यह सांस्कृतिक दृष्टि आज ऊर्जा ग्रहण कर रही है।

पुरुष स्त्री पर अपने अधीशत्व को जो परंपरागत रूप में उसके खून में मिला हुआ है, कायम रखना चाहता है। अमानवीय एवं घिनौना पुंसत्व किसी न किसी तरह स्त्री की लगाम अपने हाथ में लेने का प्रयास करता है। उसके हथियार हैं शंका, इल्ज़ाम, प्रताड़ना आदि। इन हथियारों के प्रयोग के परिणामस्वरूप मानसिक संघर्ष, तनाव, घुटन, टूटन आदि पारिवारिक जीवन के हिस्से बन जाते हैं। फलस्वरूप पति-पत्नी संबंध में बिखराव पैदा होता है। पुरुष का शक, अविश्वास और अधीशत्व की भावना 'तीसरी सत्ता' के मदन की चारित्रिक विशेषताएँ बन गई हैं। शक, अविश्वास और गुंडागर्दी के कारण परिवार में तनाव एवं घुटन ही नहीं अकेलापन का विकास भी होता है। मदन अपनी पत्नी को मानसिक एवं शारीरिक रूप से इतना आघात पहुँचाता है।

पारिवारिक संबंध के मूल में पति-पत्नी का मानसिक एवं आत्मीय संबंध सबसे अधिक मूल्यवान है। उसमें अविश्वास की लांछन पड़ गई तो परिवार का बहाव रुक जाता है। शंकालु पुरुष अपनी स्त्री पर बिना कारण शक प्रकट करता है। कहीं किसी के झूठे बोल सुनकर, कहीं अपनी हीनता ग्रंथि के कारण और कहीं पुंसत्वहीनता के कारण। मदन शर्मा की आदत ही ऐसी है। पत्नी और देवर के साथ संबंध पर शक होने से उन पर इल्जाम लगाता है—"श्याम की बीवी तो अस्पताल में रहेगी और तुम दोनों ठले-मटल्ले लगाते घूमोगे।" इस कारण से डॉक्टर रमा शर्मा प्रसूति के वक्त भी अपनी भाभी को देखने नहीं जाती। इसके अलावा नेक रामेसर के साथ भी रमा के अवैध संबंध होने की शंका प्रकट की जाती है और

पारिवारिक विघटन पूर्ण होता है। उसकी शंकालु नजर में दोष के अलावा कुछ भी नहीं आता।

पति-पत्नी संबंध में सेक्स का स्थान भी कम महत्त्वपूर्ण नहीं है। वह बहुत ही आत्मीय, सूक्ष्म और संवेदनशील तंतु है। व्यवधान या उपेक्षा की आशंका उसे आघात देती है। रमा शर्मा के अनुसार मदन यौन संबंधों में भी अपनी मर्जी का पालन करता है, अपनी साथी की इच्छा या भावना की परवाह नहीं करता है। ऐसा संबंध स्त्री के लिए विकृत होता है। विकृत आदमी का सेक्स बहुत भयानक और ध्वंसकारी होता है। भयंकर रूप से शंकाग्रस्त व्यक्ति सेक्स का आनंद ठीक से नहीं कर पाता है। सेक्स हृदय की संपूर्ण निर्मलता, एकाग्रता और समर्पण होता है। बिना इसके सब सूना। संबंध, परिवार ...समाज सब। यौन संबंध में पराजित होना भी पारिवारिक जीवन की पराजय का कारण बन सकता है। क्योंकि इससे निराशा, अतृप्ति, कुंठा आदि ही उत्पन्न होती है। उनके अनुसार पितृप्रधान समाज में बच्चों का सम्मान, परिवार की इज्जत आदि पुरुष पर निर्भर है। चाचा के अनुसार कहने को कोई कुछ भी कहे, पर हमारी सोसाइटी में औरत की शोभा पति ही है।...हम अपने में चाहे कितने भी पवित्र क्यों न हों, पर लोग समझ रहे हैं, इस बात को नजरंदाज नहीं किया जा सकता। माँ के अनुसार राहगीरों द्वारा थनों को छूने पर न उग्र करनेवाली गाय बनना चाहिए। मानवराशि के अस्तित्व को बनाए रखने का दायित्व भी स्त्री पर है। ऐसी माननेवाली माँ कहती है, "बेटी हम लोगों का काम ही क्या है अपने घर की दीवारों और छतों की तरफ ताकते रहना। जहाँ दरार नज़र आए वहीं से लीप देना। दरार पता नहीं कब सिल जाये। घर टूटता है तो अपनी औलाद सबसे पहले उसके मलवे का शिकार होती है।" इस प्रकार मनुस्मृतिवाले स्त्री-स्वातंत्र्य संकल्प को लेकर चलनेवाली पीढ़ी के विरुद्ध डॉ. रमा शर्मा अकेले खड़ी होती है। वह स्त्री-पुरुष संबंध, स्त्री-स्वातंत्र्य इत्यादि के बारे में एक स्वस्थ एवं सुदृढ़ धारणा रखती है। परंपरा से जकड़े हुए चाचा और माँ

से इसलिए उसे कई बार बिगड़ना पड़ता है। चाचा से वह कहती है कि अगर आप नतीजे पर पहुँच चुके हैं तो बात को आगे बढ़ाने से कोई फायदा नहीं। आप मुझसे अपना रिश्ता समाप्त करने के लिए स्वतंत्र हैं। पिता नहीं रहे तो भी जिंदा हूँ। चाचा नाता तोड़ लेंगे तो भी जिंदा ही रहूँगी। एक बात मैं जरूर कहना चाहूँगी कि दूसरे की स्वतंत्रता को भी अगर स्वतंत्रता समझा जा सके तो रिश्तों का अर्थ विस्तृत हो जाता है। मानवीय रिश्तों के विस्तार में रमा शर्मा आत्मीयता पर जोर देती है। वह बेटी, दीदी, पत्नी, माँ, डॉक्टर और सामाजिक प्राणी के नाते सारे संबंधों को समझती है। बेटी होकर वह माँ और चाचा को दुत्कारना नहीं चाहती है। भाभी एवं भाई से उसका बर्ताव आत्मीय एवं सहज ही है। पति को वह कभी भी ललकारती या धिक्कारती नहीं। सिर्फ सोचने और बोलने की स्वतंत्रता की माँग करती है। बच्चों के प्रति उसकी ममता एवं वात्सल्य असीमित है। उनके लिए ही वह अंत तक जीती है। ठीक इसी प्रकार अपने मरीजों, पड़ोसिन मिसेज चंद्र और वफादार रामेसर सबके प्रति वह स्नेहशील है। मगर पति मदन शर्मा, चाचा और माँ के आचरण में वह मनुष्योचित व्यवहार का परिचय नहीं पा सकी। उसके शब्दों में पहले नारी की कारुणिक स्थिति और उस पर अपना आक्रोश व्यक्त होते हैं। "तुम नहीं समझोगे रामेसर। हम लोग औरत पहले हैं। पीतल के बर्तन देखे हैं, परछावे से भी जूठे हो जाते हैं। चाँदी के बर्तन होठों से छूने पर भी पवित्र बने रहते हैं। है या नहीं यही बात? औरत चाहे डॉक्टर हो या कुछ और होती है पीतल का बर्तन ही।"

डॉ. रमा शर्मा स्त्री के लिए इनसान की हैसियत माँगती है। समाज में सदैव पुरुष को ही स्थान प्राप्त हुआ है। स्त्री को नगण्य माना गया है। स्त्री उसकी सहचारिणी नहीं अनुगामिनी है। स्त्री की इज्जत, मान-सम्मान परिवार के लिए है न कि स्त्री के लिए। यही स्त्री की विडंबना है। उसे सोचने की, अपना मत प्रकट करने की स्वतंत्रता नहीं है। उसके सोचने की क्षमता की व्याख्या उच्छृंखलता

के नाम पर की जाती है। चाचा, माँ और मदन शर्मा इसका प्रतिनिधित्व करते हैं। रमा शर्मा ऐसी ताकत के सामने मान-सम्मान की माँग करती है। "आर्थिक सुख जैसे सुख की आशा अभी इस मुल्क में कोई नहीं करता। लेकिन मुख सुख और सोच सुख भी नहीं रहेगा तो स्वतंत्रता का मतलब क्या रह जाएगा? अगर आप इन बातों को भी रिश्तों से जोड़कर देखकर उच्छृंखलता कहना चाहते हैं तो शौक से कहें।" स्त्री-स्वातंत्र्य को उच्छृंखलता बताकर और चरित्रहीनता का कलंक लगाकर उसे पिंजरे में बंद करना पुरुष शासित समाज की चाल है। इस राजनीति से आधुनिक नारी परिचित है। किन्तु अपनी ममता के कारण स्त्री की मुक्ति आसान नहीं है। ऐसे समाज में अपने इनसानी हक के लिए रमा शर्मा को नारी जीवन की सारी कठिनाइयों को अपने आप तय करना पड़ता है।

अपने पति मदन शर्मा के अमानवीय व्यवहारों एवं करतूतों से बार-बार उसे आहत होना पड़ता है। फिर भी स्त्री की सहज ममता और समझौतावादी दृष्टि उसे माफ कर देने को बाध्य कर देती है। पति के नाते बोटी-बोटी काट डालनेवाले तथा अपने मान-सम्मान, ईमान एवं इज्जत तथा मूल्यों को नेस्तनाबूद करनेवाले पति से तंग आकर वह आत्महत्या तक करना चाहती है। उसके अनुसार शरीर पर चोट खाकर मर जाने से हृदय पर लगी चोट के साथ जिंदा रहना कहीं अधिक दारुण है। वह माँ है और उसमें ममता है, इसलिए बच्चों की उपेक्षा संभव नहीं है। पुरुष शासित समाज में उसकी शक्ति और समाज की नकारात्मक दृष्टि से भी वह अवगत है। "आप पुरुष हैं और बड़े हैं अपने आप में व्यवस्था हैं...जो आप सोचेंगे और कहेंगे वही हमारे लिए नियम होगा, आचार संहिता होगी। हम अपनी रक्षा अपने आप नहीं कर सकतीं, हमारी रक्षा पति करता है। पति यदि क्रूर हो जाए तो उससे बचने का हमें कोई अधिकार नहीं क्योंकि उस क्रूरता से बचने का अधिकार हमें दिया ही नहीं गया। उसको भी छोड़िए अगर दया करके कोई हमारी मदद कर भी दे तो वह भी कलंक है। समाज औरत को

उसकी कमियों एवं दुर्बलताओं के साथ स्वीकार करता है। समाज उसके सतीत्व, मानवता, वफादारी, प्रेम, ममता आदि गुणों को आँकता नहीं। सगे-संबंधी एवं अन्य लोग निर्मम भाव से उस पर आक्रमण करते हैं। उसके आत्मिक उत्कर्ष एवं सूझबूझ को नेस्तनाबूद करते हैं।" ऐसे में रमा शर्मा अपने को अकेली एवं असुरक्षित महसूस करती है। माँ, चाचा, पति, भाई, बेटी सब अलग-थलग दिखाई पड़ते हैं। तब उसे हर कहीं अधिकार नजर आता है और उसके लिए दी गयी सुरक्षा का पर्याय बन जाता है।

उपन्यासकार मदन शर्मा जैसे पुंसत्वहीन, गैर-ईमानदार, मनुष्यत्वहीन, मौकापरस्त एवं अनाड़ी शख्स के पूरक रूप में नेकी, ग्रामीण वफादार एवं मानवीय रामेसर को प्रस्तुत करता है। हर क्षेत्र में रामेसर आत्मीय और मानवीय दिखता है। ऐसा करके लेखक सामाजिक जीवन के संपूर्ण यथार्थ को पकड़ने का प्रयास करता है। मदन का कोई जीवनदर्शन नहीं जबकि रामेसर अपने जीवनदर्शन पर अडिग रहता है। मनुष्यता, भावुकता, नैतिकता, आस्था और वफादारी की पटरी पर उसका जीवन बढ़ता है।

उपन्यासकार गिरिराज किशोर ने 'तीसरी सत्ता' की डॉ. रमा शर्मा के जरिए नारी जीवन के संपूर्ण यथार्थ को अभिव्यक्ति दी है। परिवार में नारी की भूमिका, समाज में नारी की हैसियत, कामकाजी औरत और उसके साथ समाज का व्यवहार इत्यादि पक्षों का सूक्ष्म एवं यथार्थ चित्र उपन्यास प्रस्तुत करता है।

नारी मुक्तिवादी का स्वर आज बुलंद है। महिला रचनाकार नारी समस्या को अपने ढंग से देखती है। अतिरंजनाओं एवं अतिनाटकीयताओं की प्रवृत्ति उन्हें स्त्रियों के स्वत्व तक पहुँचाती नहीं है। नारी समस्या पर केन्द्रित उपन्यास हिन्दी में निरंतर प्रकाशित होते रहते हैं। इसी श्रृंखला में गिरिराज किशोर का उपन्यास भी है जो नारी मुक्ति की अतिवादी दृष्टि से अपने को पूर्णतः बचाता है और हमारे पारिवारिक संघटन पर जोर देता है। अतः इसका भारतीय संदर्भ सर्वथा विचारणीय है।

'दो' : नारी के अभिशाप की कथा

डॉ. सुधा

गिरिराज किशोर हिंदी साहित्य के अग्रणी कथाकार हैं। उपन्यास के अतिरिक्त साहित्य की प्रायः सभी विधाओं में उन्होंने लेखनी चलाई है।

'दो' उपन्यास एक साधारण विषय पर आधारित है जिसमें न तो पात्रों का जमघट है और न ही घटनाओं का वैविध्य। इस उपन्यास में लेखक ने यह स्पष्ट किया है कि आधुनिक युग में पातिव्रत्य और सतीत्व के भाव कितने मूल्यहीन हो गये हैं। पति को परमेश्वर मानने की जो परंपरा थी उसे आधुनिक नारी ने त्याग दिया है। चाहे वह उच्च वर्ग की नारी हो या निम्न वर्ग की अनपढ़ नारी, देवत्व का तिरस्कार हो चुका है। आज नारी एक ऐसे मोड़ पर आ गयी है जहाँ वह अपने अस्तित्व के लिए परंपराओं और रूढ़ियों को तोड़ने के लिए तैयार है। 'दो' उपन्यास की नीमा अपने पति के असहनीय अत्याचारों से तंग आकर उसे त्याग देती है और एक ढाबे वाले पंडित के साथ रहने लगती है। निम्न वर्ग की अशिक्षित नारी होते हुए भी नीमा पति में देवत्व का रूप न देखकर एक अन्यायी वासना प्रिय पुरुष का रूप देखती है जिस कारण वह उसे छोड़ने के लिए विवश होती है। यहाँ वह परंपरा से विमुख दिखाई देती है। ढाबे वाले के साथ भी नीमा संतुष्ट नहीं रह पाती है। उसे लगता है कि ढाबेवाला पति हद से ज्यादा उस पर कुर्बान

है जिसे देखकर उसे कुढ़न का अनुभव होता है। नीमा के अंदर की घुटन और असंतुष्टि का कारण ढाबेवाले पति का सीधापन, उसका सरल सौम्य स्वभाव है। वह उससे कहती है, "तुम जब देखो मिनमिनाया करते हो, अपनी बात जोर से क्यों नहीं कहते। वह इतनी जोर से चिल्लाता था कि कान के पर्दे हिल जाते थे।" (पृ. 13) यहाँ स्पष्ट जाहिर होता है कि नीमा का नारीत्व दूसरे पति से खुश नहीं होता है जिस कारण वह ऐसे संदर्भों में अपने पहले पति के क्रूर और पुरुषत्व से युक्त स्वभाव का जिक्र करती है। नारी मनोविज्ञान के धरातल पर नीमा की परिकल्पना हुई है। नीमा की व्यथा ढाबेवाले को कचोटती रहती है। वह रोगग्रस्त हो जाता है और उसकी मृत्यु हो जाती है। पति की मृत्यु के पश्चात् नीमा उसकी संतान को जन्म देती है जिसे लेकर उसे दर-दर भटकना पड़ता है। कई लोगों की दृष्टि उसके यौवन पर पड़ती है। अपनी इज्जत बचाने के लिए वह न चाहते हुए भी अपने पहले पति के पास लौट जाती है।

हमारे समाज में नीमा जैसी स्त्रियों का सम्मान नहीं होता, क्योंकि उसने परंपरा को तोड़ा है। पति के होते हुए भी किसी दूसरे पुरुष की रखैल की तरह रहती है। समाज यह नहीं सोचता है कि नीमा ने ऐसा क्यों किया? उसकी क्या मजबूरी थी? कोई भी भारतीय नारी यह नहीं चाहेगी कि वह अपने पति और संतान को त्याग कर किसी पराए पुरुष के साथ जीवन निर्वाह करे। जरूर उसकी अपनी कोई विवशता होगी जिसकी वजह से उसने ऐसे कदम उठाए हैं। समाज इस सत्य को जानने का प्रयास नहीं करता बल्कि उस नारी पर व्यंग्य के बाण छोड़ने लगता है, जैसे "तुम्हारा चाचा बहुत पहुँचा हुआ था, छोटे पंडित! बुढ़ापे में भी ऐसी बिगड़ैल घोड़ी पर सवारी गाँठ ली। इसके तो लगाम तक लगाना मुश्किल है।" (पृ. 26) यहाँ नीमा पर व्यंग्य कसा जा रहा है। गिरिराज किशोर ने दरअसल एक सामाजिक अनैतिकता को विषय बनाया है। नीमा की पात्र परिकल्पना के माध्यम से ही वे इस नैतिक सवाल को उठाते हैं। पुरुष प्रधान

समाज की अपनी दृष्टि है। पुरुष के वर्चस्व पर टिकी हुई उसकी दृष्टि में अभी सामान्य नारी की कोई अहमियत नहीं है।

पात्रों की चरित्र कल्पना विशेष मनोवैज्ञानिक धरातल पर हुई है। नीमा को अपने पति की मारधाड़ तो स्वीकार्य थी लेकिन वह उसके वासनात्मक आक्रमण से पीड़ित थी जिस कारण वह उसे छोड़ देती है। वहीं नीमा ढाबेवाले पति की कमजोरी को देखकर इतनी तुनकती है कि उसके द्वारा लाए भोजन को बच्चों की तरह रूठ कर जमीन पर फेंक देती है और वह बेचारा एक अच्छे दूकानदार की तरह उसकी खुशामद करता लेकिन नीमा की नाराजगी कम-से-कम रात भर के लिए लागू हो जाती थी...उम्र की वजह से और सीधेपन की वजह से वह रात भर दुखी और परेशान रहता। सबेरे ही सबेरे वह मोहल्ले की सबसे अच्छी दूकान से असली घी की जलेबी लाता था और दूध में भिगोकर खुशामद-दरामद के साथ नीमा को खिलाता था तब कहीं वह ढाबे पर जाता था। (पृ. 8) इतना कुछ करने के बावजूद नीमा अतृप्त रहती है। इसका क्या कारण हो सकता है? ऐसा लगता है कि नीमा को ढाबेवाले पति को हद से ज्यादा सदय स्वभाव और लगाव अखरता था, वह उसके स्वभाव की कोमलता पसंद नहीं करती थी। वह कहती है, "वह निठल्ला और गरीब था। उसमें मर्दोंवाली बात थी। मारता था, चोट जरूर लगती थी।...पर गिरा मरा नहीं था। तुम्हारे साथ दो साल होने को आए...जैसी आई थी वैसी ही हूँ।" (पृ. 9) नीमा ढाबेवाले के साथ रहते समय भी अपने क्रूर पति का पुरुषत्व याद करती है और अपने दूसरे पति से यह कहने के लिए विवश होती है कि "तुम मुझे बेटी बनाकर लाए हो या घरवाली? मुझे किसी की दया नहीं चाहिए। वह चिल्लाता या मारता था पर दया नहीं दिखाता था।" (पृ. 20) उपन्यास के इस प्रकरण के साथ, जहाँ नीमा अपने को निरी शीतल छाया तले अनुभव नहीं करना चाहती, एक नया मोड़ शुरू होता है। स्पष्ट है कि अंतर्मन की चाह और अनिवार्य दाह की कशमकश को उपन्यास में दिखाया है। पर इसका अर्थ

यह नहीं कि वह यौन-कुंठा से पीड़ित नारी है और अपने पति के क्लीवत्व से त्रस्त है। यह सही है कि वह अपने पति की नपुंसकता से त्रस्त है पर नपुंसकता का सवाल क्यों उठा? क्या सिर्फ यौन तृप्ति के हेतु? कतई नहीं। स्त्री की अहमियत और पत्नी की अहमियत के स्तर से ही वह अपने दूसरे पति के साथ के संबंध को देखती है। उस पर नपुंसकता का आरोप वास्तव में उसकी अपनी पहचान से संबंधित है। ढाबे वाले का अतिरिक्त प्रेम और उसका खुशामदी स्वभाव स्त्री को अपना स्थान दिलानेवाला नहीं है, उसमें प्रकट अत्याचार नहीं। पर उसकी मासूमियत में कहीं भी वह अंतरंगता नहीं है। दया का प्रसंग नीमा उठाती भी है। सहानुभूति और दया से स्त्री अपनी अहमियत प्राप्त नहीं कर सकती है। गिरिराज किशोर ने स्त्री की अपनी अस्मिता के साथ जैविक संबंध को भी जोड़ा है।

नीमा का जीवन संघर्ष तब शुरू होता है जब उसके दूसरे पति की मृत्यु हो ज़ाती है। पति की मृत्यु के बाद उसका ढाबा उसका भतीजा हथिया लेता है क्योंकि नीमा ढाबेवाले की बिन ब्याही पत्नी थी जिस कारण उसे ढाबेवाले की सम्पत्ति से दूर रखा जाता है। हमारा समाज नारी को सिर्फ पत्नी रूप में देखने को तैयार होता है, किसी की रखैल के रूप में नहीं। यदि नारी का एक बार पैर फिसल जाता है तो समाज में उसके लिए कोई स्थान नहीं होता। समाज के लिए वह खिलवाड़ की वस्तु बन जाती है। समाज की भूखी निगाहें उसे जीने नहीं देतीं। और जीवन के दायित्व उसे मरने नहीं देते। नीमा की भी यही स्थिति है। समाज के भूखे भेड़ियों से बचने के लिए कभी वह आत्महत्या करने की बात सोचती है तभी उसके सामने उसकी नन्ही-सी जान रंजन का चेहरा उभर आता है और वह जीने के लिए विवश हो जाती है। नीमा की दयनीय अवस्था पर चाची उसे समझाती है, "बिटिया, इस दुनिया में तो औरत धान का खुला खेत है, उसका रखवाला या तो राम है या मरद।" (पृ. 137) जीवन संघर्ष में नीमा यह महसूस करने लगती है कि मर्द की छाया के बिना नारी

का जीवन अधूरा है और वह अपने क्रूर पति के पास लौट जाना ही बेहतर समझती है।

नीमा का पहला पति क्रूर भोगी और अत्यधिक वासनाप्रिय है। लेखक ने उसके द्वारा निम्नवर्ग के क्रूर और घिनौने वासनाप्रिय व्यक्ति का यथार्थ चित्रण किया है। नीमा उसके लिए अपनी वासना पूर्ति और मनोरंजन का साधन मात्र है। आज के समाज में नारी का जो भोग्या रूप है उसी का सार्थक चित्रण नीमा के द्वारा हुआ है। नारी शिक्षा के व्यापक प्रसार के बावजूद नारी का शोषण समाप्त नहीं हुआ है हालाँकि शोषण का स्वरूप बदला जरूर है। नीमा इस शोषण की चक्की से मुक्त होना चाहती थी लेकिन हालात उसे पुनः उसी चक्की में पिसने के लिए मजबूर करते हैं। नीमा जब अपने पहले पति के पास लौट आती है तब वह कहता है, "मेरा जिगरा देख। ढाबेवाले के पास रही, फिर भी घर में ले आया, नहीं तो खोटा सिक्का जान कर कौन घर में लाता। सब कुछ भूलकर विधवा को सधवा बना दिया।...यही समझ लूँगा कि एक बामन के बेटे को पाल-पोसकर पुण्य कमा रहा हूँ।" नीमा को पुनः घर ले आने के पीछे उसके पति का निजी स्वार्थ निहित है वह कहता है, "देख तुझे पूजा-पाठ के लिए नहीं लाया। खास इसी वास्ते लाया हूँ। अपने आप में रह।" (पृ. 152) नीमा महसूस करने लगती है कि अब यही उसकी नियति रहेगी। नित्य उसे पति से ताने, कटूक्तियाँ और व्यंग्य सुनने पड़ेंगे।

नारी के जीवन में हो रहे अन्यायों के विरुद्ध संघर्ष करके नीमा सफल नहीं हो पाती है। उसे पुनः अपने अन्यायी पति के सामने घुटने टेकने पड़ते हैं। भारतीय नारी के लिए विशेषकर निम्न वर्ग की नारी की यही अभिशप्तता है। वह अपनी इज्जत को खिलवाड़ की वस्तु बनाना नहीं चाहती। अपनी इज्जत बचाने के लिए ही नीमा अपने क्रूर पति के पास पनाह लेती है। नीमा की असफलता हमारी नैतिकता की असफलता है। यह हमारे सामाजिक संकल्प की भी असफलता है।

आम आदमी की दुनिया का 'चिड़ियाघर'

डॉ. सुजा चंद्रिका

'चिड़ियाघर' गिरिराज किशोर का लघुकाय उपन्यास है। बदलते नैतिक प्रतिमान और विघटित होते मूल्यों की ओर इशारा करना उपन्यास का लक्ष्य है और यही इसकी प्रासंगिकता भी है। रोजगार दफ्तर की रंग-बिरंगी घटनाओं के आधार पर उपन्यास संरचित है।

अफसरशाही और कार्यालयीय वातावरण से जुड़े भ्रष्टाचार ने जीवन मूल्य ही बदल दिया है। गलत को सही मानकर चलने की मजबूरी ने व्यक्ति के स्वत्व को ही नहीं सामाजिक स्वत्व को भी गँदला कर दिया है। गिरिराज किशोर का यह उपन्यास हमारे शोषित सामाजिक वातावरण पर केंद्रित है। मिस्टर जौहरी की पहली नियुक्ति ए.ई.ओ. के रूप में होती है। उसका हरेक अनुभव यह सूचित करता है कि रोजगार दफ्तर का लक्ष्य ही बदल गया है। ई.ओ. मिस्टर स्मिथ स्पष्ट कर देता है—"इस दफ्तर को एम्प्लॉइमिंट एक्सचेंज कहा जाता है, इट एम्प्लाइज नान-एम्प्लॉयमेंट। हम लोग इसी मिसअंडरस्टेंडिंग में काम करता है कि लोगों को एम्प्लॉयमेंट हम दिलाता है। हमारे डिपार्टमेंट का काम है लोगों के फ्रस्ट्रेशन को थोड़ा डाइवर्ट करना। अगर किसी को नौकरी दिलाने की कोशिश किया तो निकाल दिया जाएगा। इसका मतलब है सरकार का हुकुम नहीं मानता।" भारतीयों को कामचोर घोषित करते हुए अपने देश

इंग्लैंड की दुहाई देनेवाला मि. स्मिथ उस भ्रष्ट नीति का पोषक है। दफ्तर के सारे कार्य-कलाप बाबू लोगों के दिशा-निर्देश से संपन्न होते हैं। "असली अफसर सिर्फ चिड़िया बैठाते हैं।" अफसर नाममात्र के लिए अफसर होता है। दफ्तर के सभी लोगों से मिलने से जौहरी अपनी राय बदल देने को मजबूर हो जाता है क्योंकि "पहले लोग जब किसी अफसर के बारे में बात करते थे तो हमेशा लगता था, अफसर होता है।" लेकिन हालत अब बदल चुकी है। किसी अफसर को बरदाश्त कराने के मामले में भी बाबू लोग ही अधिक अफसर हो सकते हैं।

दफ्तर के प्रत्येक व्यक्ति के आचरण में आपसी होड़ और द्वेष की भावना है। एक-दूसरे पर आरोप लगाकर हर्ष का अनुभव करनेवाले दफ्तर के कर्मचारियों के बीच मि. जौहरी अपने को अकेला महसूस करता है। उसे मालूम है कि अपने जिम्मे के कार्य करने के बदले वे लोग काफी दिलचस्पी दूसरों को फँसाने में लेते हैं। मिसेज फातिमा बेगम रिजवी क्लेरिकल सेक्शन की अधिकारी है। दफ्तर के काम के प्रति उसकी दायित्व भावना का काफी सशक्त प्रमाण मिलता है, जब वह कहती है—"ओह, बारह बज गए। चलिए काम किया जाए। आपको काम सीखना चाहिए, नहीं तो मेरी बदनामी होगी।" हर व्यक्ति के मुँह से अपने सहकर्मी का पूरा ब्यौरा ही मिलता है। मि. बिष्ट का कहना है—"मिस्टर जौहरी, आपने यहाँ की हालत देखी? आप अपने को बचाकर चलिए। नए आदमी हैं, कहीं फँस न जाएँ।" वह मिसेज रिजवी से बचे रहने का उपदेश भी देता है—"इस औरत के हाथों कई बर्बाद हो गए हैं। किसी रोज बताऊँगा। इस समय तो केवल इतना समझ लें, आपको फूँक-फूँककर कदम रखना है।" कर्मचारी वर्ग भ्रष्टाचार का जीवंत प्रतीक है। मिस्टर अग्रवाल जौहरी को धैर्य बँधाता है। वह बिगड़ी हुई हालत के मूल कारणों पर प्रकाश डालता है—"लेकिन घबराने की कोई बात नहीं। वैसे दो ही बातें हैं—एक तो मैनुअल पढ़ डालिए, दूसरे केबिन पर कंट्रोल रखिए। फिर आपका कोई कुछ नहीं बिगाड़ सकेगा। ज्यादातर

इसी में गड़बड़ होती है। टंडन और राय से सावधान रहिएगा। मिस्टर दास इन्हीं दोनों के मारे हुए हैं। यह तीसरी बार था जब मिस्टर दास को पिलाकर एक्सचेंज में छोड़ गए। वे लोग पीकर जानवर हो जाते हैं। फिर न अफसर को देखते हैं, न मातहत को। इन्हीं की वजह से इस दफ्तर में करेप्शन है। पूरी डायरेक्ट्रेट जानती है लेकिन कुछ नहीं कर पाती।"

रोजगार की आशा रखनेवाले नौजवान सभी प्रकार से टूटे-हारे दीखते हैं। रिश्वत आज कोई नई बात नहीं रह गई है। खर्चा-पानी देकर लोग अफसरों को प्रसन्न करते हैं। दफ्तर में नियुक्त हो जाने के बाद व्यक्ति सारे निर्णय दफ्तरी परंपरा के अनुसार लेने को विवश हो जाता है। वास्तव में वह एक शिकंजे में फँस ही जाता है। वह अपनी मर्जी से हिलने तक को असमर्थ हो जाता है। मिस्टर जौहरी को सुनना पड़ता है—"आप तो कल आए हैं। आप क्या जानें यहाँ क्या होता है। किस तरह लोगों को हेरेस किया जाता है, उनसे पैसे माँगे जाते हैं। यह दफ्तर है या खटमलों की खाट। लोगों का काम जहाँ लग सकता है, वहाँ नहीं भेजा जाता और जहाँ नहीं लग सकता, वहाँ भेजा जाता है।" वास्तव में यह रोजगार दफ्तर नहीं, टाँग अड़ाऊ दफ्तर है। नौकरी की खोज में आनेवाले लोग रिश्वत के जादू से अवगत हैं। लेकिन उनसे पैसा हड़प लेने के सिवाय कोई ठोस कार्य अफसर लोग करते नहीं हैं। मिस्टर जौहरी रिश्वत को गंदी चीज मानकर उसे लेने से इनकार करता है। उसको सूचित किया गया—"यहाँ तो सभी लेते हैं। जो नहीं लेता, वह भी लेता है। किसी का काम हो जाए तो लेना बुरी बात नहीं। जिस आदमी का काम नहीं होता, उस आदमी की आत्मा बहुत गाली देती है।"

दफ्तर का वातावरण आम आदमी के लिए दमघोंटू है। मि. जौहरी अपने को दफ्तर के साथ जोड़ने में असमर्थ हो जाता है। वह उधर से दूर भागने की भी सोचता है। जौहरी की मानसिकता का सहज प्रक्षेपण उपन्यास में मिलता है—"मेरी स्थिति काठ की

पखवाली से अधिक नहीं थी। सजावट के लिए मंच पर लगा दिया गया था। पीठ पीछे के खालीपन का अहसास चुभन पैदा करता था। इस स्थिति से मुक्ति पाने का एक ही रास्ता था, छोड़कर चला जाऊँ। लेकिन मैं अपने को उस स्थिति में नहीं रखना चाहता था, जिसमें ये सब लोग थे और रोज़ आकर मेरे सामने खड़े हो जाते थे।" व्यक्ति अपने अस्तित्व के संघर्ष से गुज़रते हुए अनुभव करता है कि समाज में उसका अनुभव कड़वाहट से भरा हुआ है।

मि. जौहरी को मालूम है कि उसके सेक्शन की हालत बहुत बिगड़ी हुई है–पिछले एक साल से जो भी अफसर आता है उसे कहीं न कहीं भगा दिया जाता है। मि. जौहरी एक महीने के लिए बनारस जाने की बात सुनकर बेचैन हो उठता है। उसकी बेचैनी और भी बढ़ जाती है जब अग्रवाल कहता है–"आप वहाँ बिलकुल मत जाइए, प्रोब्लम - स्टेशन है।" उसकी बातों में आत्मीयता का अनुभव कर उसकी मदद चाहता है तो तुरन्त काफी तेज आवाज में वह कहने लगा–"अगर जाना भी पड़ा तो क्या बात है? यंगमैन है, इस उम्र में रिस्क नहीं लेंगे तो कब लेंगे।" ऐसे मुखौटाधारी आदमी की उपस्थिति से लगता है कि हर खिड़की और दरवाजे से कुछ मसनूयी चेहरे झाँक रहे हैं। दो-दो क्षण बाद वे अपना चेहरा बदल देते हैं। मिसेज़ रिज़वी के व्यक्तित्व में भी दुहरापन है। एक ओर वे मिस्टर स्मिथ का खूब आदर करने का बहाना करती है और असली बात उसके विपरीत है। वह मानती है–"बॉस नाम का यह इनसान कुर्सी के सिवाय किसी का नहीं होता। इसीलिए मातहत भी कुर्सी पर बैठे आदमी के नहीं हो पाते।" अफसर को कब्जे में रखने का उपाय वह जानती है–"अफसर को चौकस रखने का यह तरीका नहीं होता। उसे कब्जे में दो ही तरह रखा जा सकता है–पूरी तरह बेवकूफ बनकर या बनाकर।" उसकी सफलता इसमें है कि ढंग से लोगों को रिझाने का तरीका वह जानती है। उसकी राय है कि छोटे आदमी की बात पहले सुननी चाहिए। बड़े आदमी की बात एक दफा टाली भी जा सकती है।

नारी की बदली भूमिका का संकेत भी 'चिड़ियाघर' में है। मिसेज़ रिज़वी का कथन नारी संबंधी धारणा को झकझोरनेवाला है। "दरअसल आदमी के मुँह औरत का खून लग गया है। वह औरत को अपना शिकार समझता है। शायद यह नहीं जानते, बाद में आपकी नस्ल को पछताना पड़ेगा। बहुत जल्दी औरतें मर्द हो जायेंगी। उनकी खाल मोटी हो जायेगी और चेहरे पर बाल निकल आयेंगे। आप लोग सामने वाले खतरे को समझाइए। और अपनी आदतें सुधारिए। अच्छा हो आप मर्द बनने में हम लोगों की मदद न करें।" मिसेज़ रिज़वी का विचार प्रचलित मान्यताओं पर चोट पहुँचाता है। वह उन औरतों में नहीं है, जो मर्दों के चेहरे देखकर जीती हैं, या मर्द की उस कुब्बत की पूजा करती हैं। वह मर्द को अपनी हविस पूरी करने का जरिया मानती है। उपन्यास में ऐसे प्रसंग हैं, जहाँ चालाकी और कुशलता से कार्य करने में मिसेज़ रिज़वी पुरुषों की अपेक्षा अधिक सफल होती है। वह अपनी इस चतुराई से खूब परिचित भी है। दफ्तर की हर दिन की समस्याओं से तंग आकर मि. जौहरी इस्तीफा देने की बात करता है। मिसेज़ रिज़वी का विचार उसके यथार्थवादी दृष्टिकोण का परिचायक है, "अरे, इस तरह न कोई इस्तीफा देता है और न देना चाहिए। इतनी जल्दी घबराओगे तो कितने दिन जी पाओगे? तुम यह समझ लो यदि कोई जी सकता है, तो अपने बल पर। जीने में मदद करनेवाली मशीन के ईजाद होने में अभी बहुत देर है।" उपन्यास के प्रायः सभी पात्र मिसेज़ रिज़वी की सामर्थ्य से परिचित हैं। मिस्टर जौहरी को कहना पड़ता है—"आप तो नौकरी के दाँव पेंच जानती हैं।"

मिसेज़ रिज़वी के मर्दनुमा आचरण से धक्का-सा लग सकता है। परन्तु उपन्यासकार ने ऐसे संदर्भ प्रस्तुत किए हैं, जहाँ वह नारी की कमजोरी से सहमत हो जाती है। मिस्टर दास की बदतमीजी और उस पर लगाये गए आरोप सुनकर वह काफी उत्तेजित होती है। फिर अपनी मजबूरी स्पष्ट कर देती है—"मैं अब यह मानने के लिए मजबूर होती जा रही हूँ, औरतें बेवकूफ होती हैं। सिर्फ

आदमियों की शक्लों और बातों से ही धोखा खा जाती हैं। यह सही है, भोले से भोला आदमी भी चालाक से चालाक औरत से ज्यादा चालू होता है।" उसी प्रकार वह कई शादियाँ करने की बात करती है, लेकिन अंत में वह अपना निर्णय भी छोड़ देती है—"खाविंद चाहे मिट्टी का भी हो, लेकिन परेशान करता है। यह कंबख्त रिश्ता ही बुरा है। एक ही आदमी से औरतें परेशान रहती हैं, चार-पाँच खाविंद तो कयामत बरपा देंगे।" उसका निर्णय छोड़ देने का एक कारण यह भी है कि वह सब कुछ कर सकती है, लेकिन मर्द की गुलामी नहीं। गर्भवती मिसेज़ रिज़वी की तबीयत खराब हो जाती है। वह सहानुभूति पाना न चाहकर भी कभी-कभी विवश हो जाती है—"औरत के साथ यह मजबूरी है। एक बार की गलती से ही वह सहानुभूति पाने की स्थिति में हो जाती है। इससे आदमी औरत को बाँधकर रखने की कोशिश करता है।" इस प्रकार लगता है कि उसका विचार काफी उलझा हुआ है। फिर भी वह प्रभाव छोड़ती है।

वस्तुतः गिरिराज किशोर ने आधुनिक जीवन की रफ्तार को नापने का कार्य किया है। उसके लिए उन्होंने अपने परिचित परिदृश्य को चुना। रोजगार दफ्तर का वातावरण और वहाँ काम करनेवाले लोग उसके लिए सच्ची सामग्री हैं। दरअसल उपन्यासकार ने जिदगी की तेज रफ्तार के बीचों-बीच अपने को अपाहिज समझनेवाले और अपने को तेज कहनेवाले, किंतु किसी झमेले में पड़ कर अपना उल्लू सीधा करनेवाले आम आदमियों के जीवन्त मर्मभेदी चित्र को ही प्रस्तुत किया है। इस बीच उन्होंने मूल्य विघटन के रेगिस्तानी विस्तार को भी अवतरित किया है। ये रंग-बिरंगे चित्र, ये बदलते चलचित्रीय दृश्य, स्पष्ट-अस्पष्ट होते चेहरे आज चिड़ियाघर से कम हैं? यही एक प्रश्न उपन्यासकार संभवतः हमारे लिए छोड़ रहा है।

मिसेज़ रिज़वी का पति लतीफ इस उपन्यास का एक ऐसा चरित्र है, जो सहानुभूति के योग्य है। वह अपनी पत्नी का और उसकी नौकरी का आदर करता है। वह यह सोचकर फूला न समाता

है कि उसके जैसे छोटे आदमी के लिए वह इतनी बड़ी कुर्बानी कर रही है तो उसके लिए क्या कुछ नहीं किया जा सकता। "काश्मीर ले गई, नए-नए सूट सिलवाये, क्या नहीं किया? ऐसी हीरादिल महिला बहुत कम होती है।" उसी प्रकार वह अपनी पत्नी की उस राय से बहुत प्रभावित होता है कि जब कम पढ़ी-लिखी औरतें पढ़े-लिखे मर्दों से शादी कर सकती हैं, तो कम पढ़े-लिखे मर्द पढ़ी-लिखी औरतों से शादी क्यों नहीं कर सकते? लेकिन लतीफ कभी-कभी बड़ा मानसिक संघर्ष झेंलता-सा दीखता है। वह अपनी पत्नी की कई शादियाँ करने की बात सुनकर बहुत अधिक उदास होता है। उसके मानसिक द्वंद्व का तभी प्रस्फुटन होता है—"अब तो मैं अपने घर से एकदम कट गया हूँ, कभी-कभी मुझे लगाता है मेरी जड़ कहीं नहीं है।" अपनी पत्नी के व्यवहार से वह असंतुष्ट है। चुपचाप सबकुछ सहने को वह मजबूर है। इस तरह वह एक ऐसा पति है, जो काफी एकनिष्ठ है।

मिसेज़ रिज़वी का विचार अतिवादी लग सकता है, फिर भी उसको नगण्य नहीं माना जा सकता, क्योंकि उपन्यास के सच की तरह यह समाज का भी सच है।

दावेदार-अर्थवान यात्राओं की अर्थहीनताएँ

•

डॉ. अरविंदाक्षन

दर्शनशास्त्र की बैसाखी के बिना भी यह कहा जा सकता है कि जीवन अनिश्चितता का कुल एहसास है। अनिश्चित अवस्था मनुष्य को टोहने तथा टटोलने की क्षमता प्रदान करती है। जिस अवस्था में वह है उसका सही-सही आकलन वह करना चाहता है। वह इसलिए नहीं कि पीढ़ियों पुरानी इस अवस्था की अस्पष्टता को समापित किया जाय या अंतिम निर्णय सुनाया जाय। वह इसलिए है कि अपनी जमीन की तलाश की अनिवार्यता उसे प्रेरित करती है। अतः खोज की राहें कभी समांतर नहीं होतीं।

जीवन को सही अर्थों में जी लेने का मतलब कभी-कभी सुखद अनुभवों से गुजरना भी होता है और कभी तनावों से गुजरना। जब हम सतह पर हैं, बाहरी भंगिमाओं में रमते हैं तो सुख का अनुभव होता है। यह सुख शरीर के विभिन्न अवयवों से संबंधित है। मानसिक उल्लास के साधन भी होते हैं। अतः शरीर और मन की ऊपरी पर्तों को उल्लसित रखनेवाली चीजों की कमी सामान्यतः नहीं है। यह जीने का मामूली रूप है। इसे यांत्रिक या जड़ कहें तो भी गलत नहीं है। जीवन की सही पहचान के लिए तनाव से गुजरना पड़ता है। यह तनाव एक ऐसा अनुभव है जो मनुष्य को निरंतर प्रेरित करता है। मनुष्य होने का एहसास देता है। हर युग में यह प्रेरणा रही है भले ही उसके स्वरूप अलग-अलग रहे हों।

आधुनिक युग में तनावग्रस्तता इसलिए प्रखर है कि हमारे समय का कुछ भी सहज नहीं रहा है। रचनाकार इस तनाव को अपना विषय बनाता है। इसका एक बिखरा क्षण जब भी उसे उत्प्रेरित करता है तो वह उसे अपने तथा बृहत्तर जीवनानुभवों से जोड़कर पहचानने का कार्य करता है। अतः तनावग्रस्त अनुभव जीवन के तमाम तहखानों से हमारा परिचय कराता है और उसकी अर्थवत्ता की खोज के लिए हमें उकसाता है।

गिरिराज किशोर का उपन्यास 'दावेदार' जीवन की अर्थवत्ता की खोज का कथा संदर्भ है। यह उपन्यास उनके अन्य उपन्यासों से बिलकुल भिन्न है। 'इंद्र सुनें' या 'असलाह' जैसे उपन्यासों में यद्यपि उन्होंने फैंटेसी का उपयोग किया है फिर भी वे ऐसी रचनाएँ हैं जो सीधे हमारे समय से टकराती हैं। राजीतिक या सामाजिक गतिविधियों का सीधा असर उनमें उपलब्ध है। अतः विभ्रमित करनेवाले प्रसंग विषयानुकूल स्वीकृत शिल्प संघटन मात्र हैं। लेकिन 'दावेदार' की विभ्रमात्मक स्थितियाँ स्वयं विषय हैं। उसका 'आदमी' जो प्रमुख पात्र के रूप में उपन्यास में आद्यन्त है, एकाध व्यक्तियों के साथ आदान-प्रदान करता है। आदान-प्रदान भी संयोगवश है जबकि वह अकेले ही अपने मार्ग पर चलना पसंद करता है।

'दावेदार' का आदमी दरअसल अपने एक मित्र की खोज में निकला हुआ है। उस व्यक्ति को मित्र ही कहा जा सकता है क्योंकि उसके लिए और कोई नाम नहीं दिया जा सकता। उपन्यास के आरंभ में उसकी लंबी यात्रा का वर्णन प्रस्तुत किया गया है जिससे यह आभास हमें स्वतः मिल जाता है कि वह कई दिनों से यात्रा कर रहा है। वह गाड़ी के पहियों या चक्कों पर नजर डालता है क्योंकि इस लंबी यात्रा में वह और कुछ नहीं कर सकता है। "गाड़ियाँ एक के बाद एक अभी तक चल रही थीं, पर उसकी यथावतता अभी तक बनी थी। यानी वह वहीं का वहीं था। गाड़ियों का मतलब है पहुँचना। वह पहुँच नहीं रहा था।" (पृ. 5) उपन्यास का यह संकेत वाक्य काफी महत्त्वपूर्ण है। गाड़ी की चलायमानता को वह

गतिहीनता के रूप में ही अनुभव करता है। संयंत्र की गति उसे अपना लक्ष्य दिखा नहीं रही है। वह उस अनिवार्य गतिशीलता से प्रेरित है जिसकी तुलना में गाड़ी की गति काफी धीमी पड़ जाती है। गति और गतिहीनता का यह द्वंद्व अर्थवत्ता और अर्थहीनता के द्वंद्व को अनायास प्रस्तुत कर रहा है।

उपन्यास का आदमी अपने मित्र की तलाश में निकला है। तलाश की अपनी खूबी भी है याने "उसे लगने लगता था कि यद्यपि वह उसकी तलाश में निरंतर यात्रा किए जा रहा है, फिर भी वह कहीं न कहीं उसके साथ है और उसे निरंतर आत्मक्रांति के अंदर उतारता चला जा रहा है।" (पृ. 7) वह अपने 'दोस्त' के बारे में बताता है, "दरअसल मुझे ऐसे दोस्त की तलाश है जिसके बारे में मुझे पक्की तरह याद नहीं कि मैंने उसे देखा है या नहीं। मेरा ख्याल है, वह सेबों के बागों में मिलेगा। वैसे वह चाय या गुलाब के खेतों में भी हो सकता है...मेरे हिसाब में उसके पास एक तरह की रोशनी है।" (पृ. 15) यह बात वह हर किसी से कहता है। यही एकमात्र पहचान है जो वह अपने मित्र के बारे में कह पाता है। वह अपनी बात का विस्तार यों भी दे पाता है, कि उसके मित्र के पास कभी न खत्म होनेवाली रोशनी है जो उन्हीं इनसानों को मिलती है जिनकी संवेदना बड़ी होती है। (पृ. 17) तनाव की अनिवार्यता के सूत्र वाक्य के रूप में आनेवाला यह संकेत संवेदना से जुड़ता है। उपन्यास के एक स्थान पर ऐसा भी एक संकेत मिलता है—"संवेदनशीलता ही मनुष्य को कुछ दे सकती है।" (पृ. 11) मनुष्य के पास ऐसा कोई औजार नहीं है जिसके द्वारा वह सब कुछ जान सके चाहे वह जीवन का अर्थ ही क्यों न हो। लेकिन अपनी संवेदनात्मक दृष्टि के बल पर वह काफी कुछ पहचान सकता है। यह क्षमता बहुत कम लोगों के पास होती है। इसका सदुपयोग करनेवालों के पास ऐसी रोशनी रहती है। संयोगवश उपन्यास के आदमी का संबंध ऐसे एक मित्र के साथ है जिसके पास यह रोशनी भी है और तज्जन्य संवेदनात्मक दृष्टि भी। इसे धार्मिक संकेत मानने की गलती नहीं

करनी चाहिए। पर इतना जरूर है कि बैबिलीय मिथक का आभास हमें यह संकेत प्रदान कर रहा है जो मानवीय अधिक है। यह मानवीय संसक्ति के अभाव को त्रासद अनुभव में पहचानने का भी उपक्रम है।

'दावेदार' के आदमी की यात्रा बनी रहती है। यात्रा के दौरान वह एक सहयात्री औरत से परिचित होता है जिससे वह अपने हृदय की तनावग्रस्तता के बारे में बताता है। पर वह समझ नहीं पाती है। रोशनी की बात को वह पूरी तरह से व्यावहारिक स्तर पर लेती है। "सपने में दीखे हुए दृश्य भी कई बार इनसान के लिए असली से ज्यादा हो जाते हैं। हो सकता है कि आपने उस रोशनीवाले इनसान को सपने में देखा हो, या किताब में पढ़ा हो। किताब में भी कई बार चीजें कुछ इस तरह लिख दी जाती हैं उनके सपने में घटनेवाला सच भी कुछ नहीं होता।" (पृ. 18) व्यावहारिक निर्णय का तनाव की अनिवार्यता से कुछ लेना-देना नहीं है। इसलिए उस औरत को अपने साथ यात्रा करने के लिए मजबूर करने के बावजूद वह उससे अलग हो जाता है। उससे बताए बिना वह गाड़ी से उतर जाता है। संवाद के बिखराव से उत्पन्न अलगाव उसे अपने भीतरी एकांत में लौटने के लिए विवश करता है। यह मात्र रोशनीवाले आदमी की तलाश की निरर्थकता की ही बात नहीं है। उपन्यास की मुख्य रचना दृष्टि इस अलगाव में नजर आती है। "जिस बात पर वह चुप हो जाता था, औरत हँस देती थी। उसकी चुप्पी शायद उसके मन में जीत का एहसास कर देती हो।" (पृ. 22) यह प्रतिक्रिया उस आदमी के लिए फालतू होने का एहसास ही प्रदान करती है। इसलिए वह अकेले ही पहाड़ी स्टेशन पर उतर जाता है।

रोशनीवाले आदमी की बात कुली भी मजाक में उड़ा देता है। लेकिन वह उस औरत की तरह चोट नहीं करता है। डाक-बँगले का बैरा भी उसकी बात को समझता नहीं है। बूढ़ा बैरा लंबी-चौड़ी बातें करता है और सबकुछ खुदा के लिए न्योछावर करता है। तजुर्बे

की बात सुनकर उसे असुविधा होती है। लेकिन एक बार बैरा आदमी को सुझाव देता है कि "मेरे पास तो एक ही जवाब है कि कहीं वह है ही नहीं। माफ करें, उस इनसान की ललक आपको यहाँ क्यों ले आयी? क्या उसके मिलते ही गुंजाइश मैदान में खत्म हो गयी थी? यहाँ के लोग जिंदगी को पार लगाने के लिए अपनी नाव किसी तरह खेते जा रहे हैं।" आदमी कहता है कि—"इसीलिए तो मैं यहाँ आया हूँ।" उसके बाद आदमी देखता है—"बैरा खामोश तो नहीं होना चाहता था, लेकिन वह हो गया। उसकी आँखों में एक तरह की संवेदना झलक आयी। इस संवेदना ने आदमी के वजूद को धीरे-धीरे ढक लिया।" (पृ. 57) उपन्यास के इस प्रकरण में रोशनीवाले मित्र का संकेत स्वतः नया आयाम प्राप्त कर लेता है। बूढ़े बैरे की आँखों में व्यापती संवेदना वास्तव में मानवीयता की सहस्थिति से संबंधित है। अतः दोनों का मौन विशिष्ट पहचान का है। रोशनी को परिभाषित करने की चेष्टा में लगे हुए आदमी को निस्सहाय बैरा की आँखों में वह संवेदनात्मक दृष्टि प्राप्त होती है जिसकी उसे खोज थी। अतः यहाँ रोशनी की खोज की यात्रा खालीपन से उद्भूत निरर्थक भटकन भी नहीं है।

बैरे के कहने पर वह सेब के बागों के ठेकेदार से मिलने जाता है। पहले वह जिस आदमी से मिलता है वह सिर्फ कारोबार की बातें ही करता है। आदमी निरंतर प्रयास करता है कि स्पष्ट कहें, वह कारोबार के सिलसिले में आया नहीं है बल्कि एक आदमी की तलाश में आया है। दूसरे दिन उसी कोठी में वह ठेकेदारनुमा आदमी से मिलता है और वह उससे न कारोबार की बात करता है और न उसकी बातों को सुनना चाहता है। यही नहीं उसको तिरस्कार की दृष्टि से भी देखता है। इसलिए आदमी उत्तेजित होता है और उसे यहाँ तक कहना पड़ता है कि "आखिर आप पहचानने से इनकार क्यों कर रहे हैं? वही मकान, वही आप, वही मेरी बेंत और वही आपका कुत्ता। आपको मुझे पहचानना पड़ेगा। आप कोई ईश्वर नहीं। मुझे आपसे न कुछ लेना न कुछ देना, सिवाय

अपनी बेंत और आपके कुत्ते के। क्या आप इसे भी नहीं पहचान रहे हैं?" (पृ. 91) पर उसकी उत्तेजना का कोई फायदा नहीं हुआ। वह ठेकेदारनुमा आदमी से पूरी तरह से तिरस्कृत होता है।

पहला डाक-बँगला वह इसलिए छोड़ देता है कि वहाँ एक महिला ठहरने आ रही है। वह उसके साथ रहना नहीं चाहता। दूसरी बार ठेकेदार की कोठी से वह पहाड़ी रास्ते में भटकता है। उसके सामने वे सारे लोग, दृश्य आदि चलचित्र के समान बारी-बारी से आते रहते हैं। सब कहीं धुन्ध-सी छायी रहती है। भटकने के बाद वस्तुतः वह पहले वाले एक बँगले में ही आ जाता है जहाँ वह महिला भी ठहरी हुई है। वह सवाल करता है कि कल उसमें वह रोशनी देख सकता है? लेकिन वह कहीं भी रोशनी नहीं देखता है। सब कहीं अँधेरा ही अँधेरा दिखाई पड़ता है। द्वारहीन प्रकोष्ठ में बन्द होने का अनुभव ही उसका है। वस्तुतः यह अँधेरा उसका सच है जिसके बदले में ही वह अपने रोशनी बिखेरनेवाले मित्र की तलाश कर रहा है।

'दावेदार' के आदमी के दावे काँच की बनी वस्तुओं के समान टूट जाते हैं। पर आद्यन्त वह रोशनी और उसकी संवेदना के प्रति आस्थावान है। यह जीवनोन्मुख आस्थावादी दृष्टि ही है। गिरिराज किशोर ने बृहत्तर सामाजिक या राजनीतिक प्रसंगों की लीक से हटकर इस उपन्यास में व्यक्ति के आंतरिक यथार्थ के सच का अवलंब लिया है जो सामयिक प्रसंगों से पृथक् नहीं है। आंतरिक यथार्थ इस उपन्यास में एक प्रतीकात्मक अन्वेषण में परिवर्तित होता है। परन्तु व्यावहारिक आचरण में आंतरिक यथार्थ का सच एकदम निरर्थक सिद्ध हो जाता है। व्यावहारिक आचरण की शर्तों के अनुसार ही उसके परिचय में आनेवाले लोग प्रतिक्रियान्वित होते हैं। वह उनका दोष भी नहीं है। वे सब अपने-अपने आचरणों और संस्कारों सहित हैं। कोई झूठा आवरण उनमें नहीं है। परंतु वास्तविकता के मूल्यों से उनका सच मेल नहीं खाता है। वे सच भले ही हों, पर उनका संबंध विकराल झूठ से है जो हम निरंतर ओढ़ते चले

जा रहे हैं। पर 'दावेदार' के आदमी के लिए वह असहनीय हो जाता है। उसके हृदय के चित्र-फलक पर बिंबीकृत मित्र की रोशनी कल्पनाओं, दंतकथाओं में या कारोबार की व्यवहार-कुशलता में परिणत होते देख वह उत्तेजित होता है। आखिर ठेकेदारनुमा आदमी उसकी बातें सुनने तक के लिए तैयार नहीं होता है। आदान-प्रदान की गुंजाइश खत्म होती है। आकांक्षाओं के संपूर्ण तिरस्कार को प्रस्तुत करके उपन्यासकार आदमी की व्यथा को ही व्यक्त नहीं कर रहा है बल्कि हर किस्म की संवेदनात्मक सर्जनात्मकता को निरर्थक घोषित करनेवाले समय की उद्दंडता को भी व्यक्त कर रहा है। समय की बुलंद घोषणाएँ सच के सुरीले संगीत को इस तरह ढँक लेती हैं कि वे ध्वनियाँ पुनः प्रस्फुटित होती ही नहीं हैं।

अर्थवान यात्राएँ राजपथ से होकर नहीं गुजरीं। आचरण की सामान्यता का तिरस्कार करके ही ऐसे यात्री आगे बढ़े हैं। पर उन यात्रियों का मूल्य बहुत जल्द स्वीकृत नहीं होता है। अस्वीकारने की अभिशप्तता ही उसकी नियति है। परंतु इतिहास में कहीं, केंद्र में न सही, हाशिये पर ही हो, ऐसी अर्थवान यात्राओं का लेखा-जोखा अंकित होता है। अतः अर्थवान यात्रा के आरंभ में ही उसकी अर्थहीनताओं से परिचित होना पड़ता है। उपन्यास का आदमी अर्थवत्ता से प्रेरित होने का आभास ही देता है। लेकिन तुरंत ही उसे अर्थहीनता को झेलना पड़ता है। इच्छा और समय के द्वंद्व के समीकरण का यह एक अच्छा-खासा दस्तावेज है।